OSCURA MONÓTONA SANGRE

En noviembre de 2009, un jurado integrado por Juan Marsé, en calidad de presidente, Almudena Grandes, Jorge Edwards, Élmer Mendoza y Beatriz de Moura otorgó a esta obra de Sergio Olguín el V Premio Tusquets Editores de Novela.

colección andanzas

SERGIO OLGUÍN
OSCURA MONÓTONA SANGRE

PREMIO
TUSQUETS
EDITORES DE NOVELA

1.ª edición en Tusquets Editores España: marzo de 2010
1.ª edición en Tusquets Editores México: marzo de 2010

© Sergio Olguín, 2010

serlibro@gmail.com

Diseño de la colección: Guillemot-Navares
Reservados todos los derechos de esta edición para
©Tusquets Editores México, S.A. de C.V.
Campeche 280 Int. 301 y 302 – 06100 México, D.F.
Tel. 5574-6379 Fax 5584-1335
www.tusquetseditores.com
ISBN:978-607-421-158-0
Fotocomposición: Pacmer, S.A. – Alcolea, 106-108, 1.º – 08014 Barcelona
Impresión: Litográfica Ingramex, S.A. de C.V. – Centeno 162-1 – México, D.F.
Impreso en México

Índice

Índice

A Gisel Picca

Nunca sabré nada de mi vida,
oscura monótona sangre.

No sabré a quién amaba, a quién amo,
ahora que apretado, reducido a mis miembros,
en el dañado viento de marzo
enumero los males de los días descifrados.

Ya vuela la flor magra
de las ramas. Y yo espero
la paciencia de su vuelo irrevocable.

Salvatore Quasimodo,
«Ya vuela la flor magra»

Ella lo tenía,
ella lo sabía,
ella se lo merecía,
Valía pa' eso y pa' más.

La Mala Rodríguez, «La niña»

Primera parte
La villa

1

Julio Andrada tomaba por la avenida Amancio Alcorta cada mañana, salvo los jueves. Salía con su auto del edificio de Charcas donde vivía, daba la vuelta hasta llegar a Pueyrredón y seguía derecho por esa avenida que cambiaba dos veces de nombre en su recorrido. Pueyrredón se llamaba luego Jujuy y más adelante Colonia, que terminaba en el estadio de Huracán. Andrada llegaba hasta el final de Colonia y doblaba por Alcorta hasta llegar al Puente Uriburu. Lo cruzaba y dejaba atrás la Capital para meterse en Lanús. A diez minutos de auto del Riachuelo estaba su fábrica.

Cada vez que cruzaba por la avenida Alcorta pensaba lo mismo. Que ninguno de sus conocidos tomaría por esa calle. No lo haría su cuñado, ni sus vecinos del edificio, ni los otros empresarios con los que se reunía cada tanto para pescar o hacer negocios. Todos ellos la evitarían, como la evitaba él los jueves cuando llevaba en su auto a Miguens, el contador que administraba sus negocios.

Los jueves hacía un recorrido distinto. Como ése era el día en que su contador iba a la fábrica, Andrada lo pasaba a buscar por Pueyrredón y Córdoba. Pero no seguía derecho. Doblaba en Bulnes y seguía por Boedo hasta llegar al Puente Uriburu. La primera vez que lo había llevado, unos cuatro años atrás, había pensado seguir su camino habitual, pero en Jujuy, a la altura de San Juan, Miguens le preguntó:

–¿Por dónde vas a ir?

–Derecho hasta la cancha de Huracán. Y Alcorta hasta el puente.

–No, ni se te ocurra. En la villa te roban o te pegan un tiro. Agarrá Chiclana hasta Boedo, que por ahí se va rápido.

Andrada no volvía a su hogar por Amancio Alcorta. Prefería ir por Maza y así evitar pasar de noche por la avenida. La oscuridad le quitaba la seguridad que sentía de día, cuando circulaba sin pensar. No observaba el paisaje de sus costados. Le hubiera resultado difícil describir los edificios de Buenos Aires, que cambiaban a medida que recorría esos cinco kilómetros: primero los edificios señoriales de Barrio Norte, algo anticuados, que recordaban una grandeza que ya no era tal. Luego los comercios de ropa y electrodomésticos cercanos a la avenida Corrientes, con sus vendedores ambulantes colmando las veredas. Enseguida las multitudes que confluían a toda hora en Plaza Once y que buscaban la estación de trenes o las paradas de los colectivos. Pasando la plaza, todo se aceleraba: los edificios descuidados de la avenida Jujuy, las mueblerías del cruce con avenida Belgrano, las estaciones de servicio, el tráfico cada vez más fluido y finalmente Colonia, donde las casas bajas convivían con galpones y de día recordaban cómo había sido Buenos Aires tres o cuatro décadas atrás. A esa altura la avenida parecía más ancha. Andrada no sabía si eso era así o un simple engaño de la vista por los pocos autos que circulaban por ahí. Pero eso no le interesaba, ni el cambio de los edificios, ni de la gente que andaba por las veredas, y se habría sorprendido si alguien (su hija, por ejemplo, que estudiaba psicología) le hubiera dicho que cada mañana hacía el camino inverso a su ascenso social, una suerte de recordatorio que señalaba de dónde venía y adónde había llegado.

Porque Julio Andrada alguna vez había sido como la gente que viajaba colgada en los colectivos. Lo había sido en su adolescencia, cuando dejó la escuela industrial e ingresó en una fábrica de sanitarios en Avellaneda. Tal vez habría seguido ganándose el pan toda su vida como obrero si no hubiera sido por el viejo Ramírez. Su padre había trabajado en la cortadora de tubos y caños del viejo Ramírez hasta que se murió. En el velorio, Ramírez se acercó a él y le dijo si no quería trabajar en su fábrica. El sueldo que le ofrecía era más de lo que ganaba calentando la argamasa con la que se fabricaban los sanitarios, pero menos de lo que ganaba su padre. Andrada aceptó cuando todavía no habían trasladado el féretro al cementerio. Dos días más tarde fue a trabajar con el viejo Ramírez, quien le enseñó el oficio de cortar caños, de seleccionarlos según su clase (estructurales, de conducción, con y sin costura), y donde Andrada también aprendió a vender por excelente lo bueno y por bueno el material de mala calidad. En unos días supo todo lo que su padre sabía y con lo que había trabajado desde antes de que Andrada naciera. El viejo Ramírez le tomó cariño. No tenía familia y sus únicos vicios eran jugar a la quiniela todos los días e ir de putas una vez al mes. Cuando Andrada cumplió dieciocho años lo llevó al Caballito Blanco, el cabaret que estaba sobre la avenida Pavón y del que Ramírez era un visitante asiduo. También le hizo sacar la licencia de conducir para que usara la camioneta. El año que Andrada pasó haciendo el servicio militar obligatorio, Ramírez no sólo le mantuvo el trabajo sino que le pagó el sueldo completo y le dejaba usar la camioneta para irse a divertir por ahí. Andrada no recordaba cómo lo llamaba su padre en la infancia, pero podía oír la voz carrasposa de tabaco del viejo Ramírez diciéndole «Julito». Nunca, antes o después, lo llamarían así. Nadie tampoco lo llamaba Julio, salvo su esposa. Para los demás era Andrada a secas. Hasta sus hijos, cuando hablaban entre ellos, lo llamaban así: Andrada.

Fue su idea incorporar la venta de chapas a la de caños. Al viejo Ramírez le gustaba que el chico tuviera iniciativa y lo dejaba hacer. Al tiempo, no sólo cortaban caños y chapas sino que ofrecían servicios de colocación. Andrada consiguió que algunos arquitectos de la zona los tuvieran en cuenta cada vez que construían o reformaban una casa. También convenció a Ramírez para contratar unos obreros que armaban tinglados y techos de chapa. Las actividades de Ramírez nunca habían crecido tanto como en esos años. Así que, cuando Andrada se casó, su regalo fue transferirle el negocio. Ramírez no quería que el esfuerzo y el crecimiento de esos años fueran a parar a algún familiar lejano que no veía desde hacía décadas. Ramírez, de alguna manera, lo había adoptado al morir su padre. ¿Por qué no convertirlo en un heredero en vida? Andrada entró a la vida matrimonial como querían sus suegros oriundos de Flores: convertido en un pequeño pero pujante empresario. Dejó para siempre Lanús y con su esposa se mudaron a un departamento de Parque Patricios, en la zona sur de la Capital. Andrada también adquirió un Fiat 125 con el que empezó a hacer sus viajes del hogar al trabajo. Hacía ya como treinta años que había tomado por última vez un colectivo y jamás se había subido a un tren de superficie o subterráneo.

El departamento de Parque Patricios era minúsculo, ideal para una pareja a la que no le molestaba la llegada de un bebé. Al año de nacido el hijo mayor, se mudaron en el mismo edificio a uno de dos ambientes. Recién cuando nació la hija menor pudieron comprar un departamento de tres ambientes en Almagro. Y hacía sólo once años que los Andrada vivían en el piso de Charcas, donde sobraban las habitaciones.

Si bien el viejo Ramírez puso la empresa a su nombre, Andrada siempre respetó su lugar y se portó con él como si fuera un padre. Dejaba que retirase el dinero que quisiera, nunca tomaba decisiones sin consultarlo y cuando Ramírez contrajo el cáncer de próstata que lo llevaría a la muerte, Andrada lo cuidó mejor que un hijo de verdad.

La mayor virtud de Andrada como empresario era la iniciativa y el convencimiento con el que llevaba a cabo cada proyecto. Era cierto que cuando el viejo Ramírez le transfirió la empresa, su suegro le prestó el dinero para hacerla crecer. Sin esa plata, que tardó cinco años en devolver, le hubiera costado mucho más superar los límites de una pequeña fábrica. En los últimos quince años su empresa había crecido lo suficiente como para convertirse en una de las más pujantes de la zona sur del Gran Buenos Aires. Sus empleados (entre los que se encontraban un ingeniero, un arquitecto y un administrador de empresas) llevaban adelante obras desde Lanús hasta Temperley, de Avellaneda a Quilmes. Andrada sabía que las obras no siempre se conseguían de la manera más limpia, sobre todo cuando se trataba de licitaciones públicas o trabajos para la municipalidad. Pero nada de todo esto le quitaba el sueño, él tenía el convencimiento de que los trabajos que realizaba su empresa siempre estaban bien hechos, eran sólidos, indestructibles; y eso era lo que realmente contaba.

Vivía en La Rioja y Caseros, en pleno corazón de Parque Patricios, cuando se volvió hincha del club del barrio, de Huracán. Hasta entonces nunca se había interesado en el fútbol. Cada sábado o domingo por medio, según el año, iba a la cancha a ver a su equipo. En aquel momento, a mediados de los ochenta, nadie hubiera dicho que era peligroso andar por Amancio Alcorta o por Colonia. Iba caminando las veinte cuadras que lo separaban y a medida que se acercaba se perdía en la multitud de los fervorosos y sufridos hinchas del Globo.

Cuando se mudó a Almagro, entre la distancia y el nacimiento de su hija, su concurrencia a la cancha fue disminuyendo hasta que dejó de ir definitivamente a mediados de los noventa, después de un campeonato en el que Huracán estuvo a punto de salir campeón. Y su interés por el fútbol había desaparecido casi por completo.

No sentía nostalgia de aquellos años ni añoraba volver al estadio Tomás A. Ducó. Si hubiera querido, se podría haber pagado la platea más cara cualquier domingo de ésos. No eran las ganas de ver la cancha de cemento las que lo llevaban a bajar por Colonia hacia la avenida Amancio Alcorta. No extrañaba nada. Ni siquiera se le cruzaba la idea de volver la mirada hacia la cancha cuando pasaba cada mañana. Era la avenida Alcorta la que lo atraía silenciosamente. Si unos meses más tarde, cuando todo hubo acabado, le hubieran preguntado en qué momento de su vida se había sentido más vivo habría dicho: manejando por la avenida Amancio Alcorta en mi auto, desde Colonia, a Sáenz, cada mañana de la semana, salvo los jueves que llevaba a Miguens, ese nene de mamá convertido en mi contador.

2

A la altura del Estadio Tomás A. Ducó, la histórica cancha de Huracán, Amancio Alcorta parece más una calle que una avenida. Las instalaciones del club en la mano sur y las casas de clase media en las esquinas del lado norte no tienen nada que ver con la avenida que va a terminar convertida en bulevar al cruzarse con Sáenz, a pocos metros del Puente Uriburu, el viejo Puente Alsina, que une la Capital con el Gran Buenos Aires, Nueva Pompeya con Lanús.

Al pasar la cancha de Huracán, el paisaje comienza a cambiar: descampados del lado sur, galpones que parecen abandonados a mano norte. Pero la auténtica avenida estalla después de cruzar las vías del ramal muerto del ferrocarril Roca. Ahí crece hasta convertirse en un bulevar en donde los camiones con su ritmo cansino retrasan a los autos. Si no hay camiones, se convierte en una semiautopista en la que los automovilistas no respetan los pocos semáforos que la interrumpen. Cuando se ven obligados a detenerse, en la esquina de Iriarte, disminuyen la velocidad unos metros antes para intentar no pararse del todo o dejan una distancia considerable entre auto y auto para poder arrancar de improviso. Tienen miedo de que alguien se acerque y les robe. Hay que ir con las puertas trabadas y las ventanillas cerradas y con la mirada en los espejos retrovisores, atentos a la posible llegada de alguien que quiera acercarse a manotear una cartera o algo peor: entrar en el auto, secuestrar al conductor o quedarse con el vehículo.

Donde comienza el bulevar, nace también la villa. La Villa 21, la villa de los paraguayos, donde se habla tanto guaraní como argentino. Una villa que creció

22

empujada hacia el sur hasta juntarse con la otra villa, la 24, que culmina en el Riachuelo y mira hacia Lanús, hacia la cancha de Victoriano Arenas, el club al que una vez Andrada le donó un juego completo de camisetas a pedido de uno de sus empleados que también jugaba al fútbol en el Victoriano.

Pero la villa apenas se ve desde Amancio Alcorta. Sólo una abigarrada sucesión de casillas que no deja suponer nada sobre la vida en su interior. Como si esa hilera de casas precarias fuera un muro que sólo pueden atravesar los que ahí viven.

Él no sentía curiosidad por lo que ocurría en la villa. Pero cada tanto, cuando se detenía en el semáforo de Iriarte, recordaba la historia de su tío, el hermano mayor de su padre. Vivía con su familia en Llavallol, donde se dedicaba a arreglar y a vender bicicletas usadas. Su hijo, el primo de Andrada, que entonces debía tener poco menos de veinte años, había caído preso. Lo habían detenido durante un asalto junto a otros dos tipos. Su tío hizo lo imposible para que no fuera a la cárcel. Lo tuvieron un mes en una comisaría, y en ese mes, el tío gastó la poca plata que tenía, vendió la casa, contrajo deudas. Su hijo fue liberado, pero esa familia había perdido lo poco que había tenido. Se tuvieron que mudar a una casilla de chapa y cartón por Lugano, en la Villa 15. Cada vez que Andrada pasaba por delante de una villa, pensaba: yo no voy a ser como mi tío. Su mayor terror era imaginar que un día perdería lo que poseía y debería mudarse a un lugar así. Era tal el temor que ni siquiera su esposa o sus amigos sabían que tenía, o había tenido, un tío que vivía en una villa miseria. Era su secreto y también la fuerza que lo impulsaba a acumular cada vez más. Alejarse de la pobreza era lo único que le producía una auténtica tranquilidad interior.

3

En la agenda Citanova que le había regalado su hija para Navidad quedó marcado aquello que Andrada tiempo después podría haber llamado el comienzo del fin. La agenda estaba marcada en el día 30 de marzo, 15.00, traumatólogo. Hacía meses que venía con dolor en las articulaciones y finalmente se había decidido a consultar a un médico. Como era un especialista muy requerido, no pudo elegir la hora, así que debió cortar con su día laboral en la fábrica y volverse a la Capital.

Estaba desacostumbrado a las visitas médicas. Esa mañana se la pasó pensando en lo que iba a decirle al doctor cuando lo revisara. No pudo concentrarse en las actividades diarias y hasta salió más temprano de lo debido. Cuando se dio cuenta de que iba a llegar con demasiada anterioridad al médico, ya estaba por Pompeya y no le dieron ganas de regresar a la fábrica. Como era de día no siguió por el camino por el que habitualmente volvía a su casa. Dobló por Amancio

Alcorta en vez de seguir por Sáenz hasta Caseros, y pasó en sentido contrario por los lugares que veía cada mañana.

Tenía hambre. No había almorzado y sentía ganas de comer algo más que un sándwich. Todas las mañanas pasaba por enfrente de una parrilla llamada Parrilla Roberto Mouzo, tal vez porque Mouzo era el dueño, o el dueño era un fanático xeneize de aquel zaguero central que había hecho historia en la defensa de Boca Juniors en los setenta. Andrada lo había visto jugar contra Huracán en esos años. Se detuvo en esa fonda. Estacionó el auto entre unos camiones y se sentó en una mesa vacía frente a la ventana, desde donde podía vigilar el auto.

¿Cuántos años hacía que Andrada no entraba a un bodegón así? No le gustaba ir a comer solo. En realidad, no disfrutaba demasiado de los restaurantes, así que cuando se veía obligado a concurrir, dejaba que su esposa o su hija, o sus amigos decidieran el lugar. Siempre iban a restaurantes de Palermo o de Puerto Madero. No conocía mucho más, aunque cuando era joven le gustaba almorzar en una fonda que había en Rucci y Valentín Alsina, a unas cuadras de la fábrica, que se especializaba en pastel de papa y matambre casero con rusa. Recién casado, solía ir a cenar con su mujer todos los martes a la pizzería El Globo, en avenida Caseros, y cuando las cosas comenzaron a andar bien, empezaron a ir a comer seguido el puchero de El Tropezón, en Callao al 200.

Lo atendió una cuarentañera de cuerpo atractivo

y aspecto huraño que le tiró el grasiento menú sobre la mesa. Los precios le parecieron muy bajos. Buscó lo más caro: una botella tres cuartos de vino Rincón Famoso. Así y todo valía la cuarta parte de lo que costaba en los restaurantes a los que solía ir. Se pidió un chorizo al plato, una porción de vacío, una ensalada mixta de lechuga y tomate, una botella chica de vino tinto, soda y hielo. No había muchas mesas ocupadas. Salvo él, los demás comensales parecían camioneros y había una camaradería entre ellos que hacía pensar que todos se conocían. Cuando alguno se levantaba para ir al baño y pasaba por delante de otra mesa, se detenía para intercambiar algunas palabras con los que estaban sentados. De la cocina venía el sonido de una radio que pasaba cumbia y cuartetos cordobeses. Andrada comió con ganas el asado y se pidió una soda más y un café. La mesa paralela a él estaba ocupada por tres camioneros. Dos de ellos debían de tener su edad y el tercero no llegaba a los treinta. Sin mejor cosa que hacer, Andrada escuchaba la conversación como si fuera el cuarto ocupante de la mesa. A lo largo del almuerzo habían hablado de fútbol, de problemas mecánicos de los camiones, de un camionero amigo que había chocado en la ruta 14 a la altura de Gualeguaychú. Uno de ellos comentó algo de un programa de televisión donde bailaban mujeres casi desnudas. Recordó un chiste que decía el conductor del programa y todos rieron a carcajadas. Se burlaron del más joven porque estaba por casarse, lo amenazaron con una despedida de soltero salvaje. Hablaron de putas, de lo buenas que estaban las entrerrianas, de las pendejitas de Comodoro Rivadavia, de un cabaret que había en un pueblito de Santa Cruz, donde había putas de todas las provincias argentinas y hasta chilenas. Uno de los más viejos dijo que las chilenas eran malas putas. Y el otro agregó que las chilenas son buenas cuando son muy pendejas, pero que después de los veinte se vuelven amargadas. Después de los treinta no había que cogérselas. El más joven escuchaba como si estuviera no ante dos viejos putañeros sino frente a dos maestros chinos que le enseñaban los secretos del budismo. Tenía el rostro flojo, con una media sonrisa, fruto de la conversación distendida y de los pingüinos de vino que se renovaban a ritmo seguro. Uno de los maestros de putas dijo que las mejores pendejitas se conseguían en la Patagonia. El otro conocedor negó con un movimiento suave de cabeza mientras se servía otro vaso de vino. El más joven le hizo un gesto a la moza pidiéndole la cuenta. El veterano que no estaba de acuerdo dijo que si uno las quiere muy pero muy pendejas tiene que venir acá.

–¿A la parrilla? –preguntó el más joven que se había distraído por seguir a la moza con la mirada.

El camionero mayor le dijo que no fuera boludo, que ahí la única puta era la veterana que atendía. Que las pendejas muy pero muy pendejitas estaban en Amancio Alcorta e Iriarte. Vienen del barrio Zavaleta, agregó el otro. Son pendejas de la villa. Entonces son paraguayas. Son hijas de paraguayas. ¿El barrio Zavaleta? La Villa 21. Son fumonas, seguro. Le dan al paco. El conocedor hizo un gesto de duda. No todas, son muy pendejas, en serio. Bueh, si no le dan al paco le van a dar dentro de muy poco. Si pueden coger, se pueden dar con lo que sea también. ¿Pendejas de qué edad? Yo me cogí una que tenía catorce. Ah, muy pero muy pendejas. Te lo dije. Hay minitas de quince, de catorce, te digo más, debe haber hasta putas de doce o trece. Eh, son vírgenes casi. Qué van a ser vírgenes, a ésas se las cogieron el padre, los hermanos, hasta el abuelo. Y salen a la avenida, pero no muy evidente, no están como las otras trolas mostrándote las tetas. Están más bien para el lado de Iriarte. Andan por ahí, como si estuvieran de paseo. Vestidas normal, alguna pollerita corta, pero todo tranquilo. ¿Y qué hacés, le tocás bocina? No, no es necesario. Te parás cerca de donde están y se te acercan. ¿Cuánto te cobró? ¿La de quince? ¿Qué, fuiste con otras? Había ido antes pero siempre eran más grandes. La de quince te tira la goma por veinte mangos. Me estás jodiendo. No se la quise pelear porque estaba muy buena, tenía carita de santa, pero si la apurás por diez mangos le hacés lo que querés. Compran droga. Con eso qué pueden comprar. Paco, boludo, ¿cuánto creés que vale? Están muy mal las pendejas. No, nabo, están muy buenas. No sabés con qué ganas la chupaba la pendeja. ¿Y si te la querés coger bien? Pedía treinta, pero acá, en la avenida no da mucho para cogértela. Yo me la llevo atrás y listo. Vos sí, pero yo atrás tengo el acoplado lleno de bosta. Mirá. Yo una vez me cogí a una mina de setenta. Me estás jodiendo. En serio. Sos un hijo de puta, te cogiste a tu abuela. No era mi abuela, la concha de tu madre, era una mina que levanté por La Pampa. Bueno, dejame terminar, yo que me cogí minas de todas las edades que van de setenta a catorce, te aseguro que como las pendejas no hay quien las chupe mejor, no sé, vienen como entrenadas. Debe ser la alimentación. El hambre que tienen. ¿Cuánto gastamos? Treinta y cinco por cabeza. Comimos como bestias. Ahora me echaría un sueñito. Lástima que no están las pendejitas a esta hora para un pete. Aparecen a la noche, bien tarde, cuando las otras putas ya levantaron. Es que de día van a la escuela. Qué van a ir a la escuela. A chuparle la verga al portero. Con pete o sin pete, me voy a dormir una siesta al camión. Yo ya salgo para Patagones. Éste hoy se queda hasta la noche, a esperar que salgan las pendejitas.

4

Andrada los vio salir. Los siguió con la mirada hasta que se perdieron entre los vehículos estacionados. Oyó cómo encendían los motores, cómo uno de ellos tocaba bocina, cómo se alejaban de la Parrilla Roberto Mouzo. Terminó su café y también pidió la cuenta. A la mujer que atendía le dejó una propina que era un poco más del veinte por ciento de lo que había gastado. Fue hacia el auto y se sintió levemente mareado por el vino. No había tomado mucho. Ni siquiera había terminado la botella y estaba acostumbrado a beber. Cuando estuvo sentado en el vehículo, se quedó quieto, sin encender el motor, unos cinco minutos. Finalmente arrancó y se dirigió al consultorio del traumatólogo. Llegó diez minutos tarde, pero el médico estaba todavía ocupado con el paciente anterior.

Si alguien le hubiera preguntado a Andrada en qué había pensado esos días, él habría respondido: en nada. Con eso hubiera querido decir que no había pensado en la conversación que había oído en la parrilla. Ni que había planificado nada. Ni que había titubeado entre hacerlo o no. Simplemente no se lo planteó. El único cambio de esos días fue que, al llegar a la avenida Iriarte, disminuía la velocidad y miraba con más detenimiento hacia la villa. Veía adolescentes caminar por ahí, charlar entre ellas, circular como en cualquier otro lugar de la ciudad. Él no se decía nada, no sacaba ninguna conclusión. Sólo una sensación de alerta general en todo su cuerpo, como cuando un animal huele un peligro.

El jueves buscó una excusa para no llevar a Miguens y así poder ir por Amancio Alcorta. La semana siguiente repitió su rutina de pasar por esa avenida que lo llevaba de la Capital hacia Lanús. Sin embargo, el miércoles cierta angustia se apoderó de él. La idea de tener que mentirle de nuevo al contador no le causaba ninguna gracia, pero tampoco quería desviarse de su camino. Lo necesitaba más que nunca.

Cada cierto tiempo, Andrada concurría a reuniones nocturnas. Cenas de trabajo. No tenían que ver con la fábrica ni con las inversiones financieras que había comenzado a hacer tempranamente a fines de los setenta, sino con las actividades que había desarrollado en los últimos años, cuando las ganancias lo obligaron a distribuir el dinero en otros proyectos. Había invertido en la construcción de edificios, había participado en un negocio de importación de juguetes chinos y hasta era dueño de un porcentaje de dos hoteles. Las actividades comerciales de la fábrica eran convenidas en su despacho o en la administración. Las inversiones financieras las resolvían telefónicamente Miguens o, en algunos casos, él mismo. En cambio, los negocios siempre se sellaban con un almuerzo o una cena. Andrada hubiera preferido hacerlo en su despacho o telefónicamente, y evitarse dos horas de falsa intimidad, pero no podía ir en contra de esa vieja tradición de los empresarios argentinos.

Su mujer nunca preguntaba con quién se reunía. Tal vez porque no le interesaba saber cómo invertía el dinero, siempre y cuando volviera duplicado, o tal vez porque suponía que su marido iba al encuentro de otras mujeres. Aunque eran salidas tan esporádicas que la idea de que su esposo tuviera una amante era sencillamente absurda. Sólo podía encontrarse con alguna prostituta. Fuera lo que fuera lo que ella pensaba, jamás le hizo una pregunta sobre sus salidas nocturnas.

No le resultó difícil salir la noche del miércoles. No quería que llegara el jueves y no saber qué hacer con su contador y el viaje habitual.

Primero tomó una cerveza en El Ombú, el bar de

la esquina de Pueyrredón y Santa Fe. Le parecía que era muy temprano para ponerse en camino. Eran cerca de las once cuando decidió seguir. El camino que de día le llevaba unos cuarenta minutos, lo hizo en diez. Desde Plaza Miserere casi no hubo semáforos en rojo. A esa hora, por Colonia no quedaban vehículos. Si hubo un momento de duda fue al cruzar las vías. La oscuridad de ese paraje desolado le hizo pensar en volverse a su casa, pero cuando el traqueteo de pasar a velocidad mínima sobre las vías quedó atrás, ya se había desvanecido cualquier idea de regresar. Su antigua vida estaba atrás, del otro lado del ferrocarril.

Llevaba las ventanillas cerradas, el aire acondicionado encendido y la radio puesta a un volumen muy bajo, como si necesitara el murmullo de alguien hablándole para sentirse animado, o para no sentirse solo en ese viaje. Al llegar al semáforo de Iriarte disminuyó la velocidad, pero tenía luz verde, así que pasó y no pudo mirar detenidamente. A simple vista no se veía a nadie. Se alejó unas cuadras y aprovechando el bulevar, retomó Alcorta en sentido contrario. Un auto lo pasó a toda velocidad. Un camión también lo dejó atrás. Desde esos vehículos debía ser evidente que él buscaba prostitutas. O drogas. ¿Qué otra cosa podía estar haciendo alguien con un auto como el suyo a veinte kilómetros por hora a pocos metros de una villa? Si algo siempre le había molestado era ser evidente. No le gustaba que los demás descubrieran lo que quería, mucho menos lo que necesitaba. Si en una fiesta tenía sed y alguien se daba cuenta de que no tenía vaso y le ofrecía una bebida, él no la aceptaba. No soportaba la idea de quedar en evidencia, de dejar que los otros tomaran la iniciativa. Sin embargo esa noche no le importaba que desde esos pocos vehículos lo mirasen irónicamente o con desaprobación. ¿Qué sabían sobre lo que él realmente necesitaba?

Al llegar de nuevo a Iriarte vio a lo lejos, en la mano de enfrente, las sombras de dos cuerpos femeninos. Cruzó la bocacalle lo más lento que pudo y frenó en la esquina. Por un momento temió no estar haciendo los movimientos correctos para demostrar su interés. O que esas chicas fueran nada más que unas muchachas disfrutando de la noche. Sin embargo, antes de que intentara algo distinto o volviera a partir, una de ellas comenzó a acercarse a él. De a poco, las sombras que la cubrían se iban difuminando y bajo la luz del alumbrado callejero aparecía la figura de una adolescente en jeans y zapatillas que caminaba a paso lento hacia él, como midiéndolo. Andrada bajó la ventanilla del lado del acompañante.

–Hola, lindo –dijo la adolescente sonriendo. No era la sonrisa de una empleada de McDonald's. Esa sonrisa artificial aprendida en un curso de cómo tratar a los clientes. La sonrisa de esa chica tenía algo fraternal, o de complicidad, o de mentira absoluta, pero no era una sonrisa cortés.

–Hola.

–¿Me puedo subir?

Andrada destrabó las puertas y eso fue suficiente para que ella entrara y se acomodara en el asiento. Era morocha, tenía el pelo corto de un negro que brillaba en la noche. Llevaba una musculosa color rosa con un corazón y la palabra LOVE de tachas violetas en el pecho. Tenía unas tetas pequeñas que, sin embargo, se destacaban con la remera ajustada. Andrada bajó la vista. Fue al observar el ombligo al aire de la chica cuando se dio cuenta de que estaba teniendo una erección.

–Me llamo Daiana, ¿y vos?

–Julio.

No se le ocurrió mentir el nombre. Al fin y al cabo como no lo usaba nunca, se parecía más a un seudónimo que a un nombre verdadero. Tal vez ella ni siquiera se llamase Daiana. Andrada no podía dejar de mirar el vientre que subía y bajaba levemente con la respiración.

–¿Cuántos años tenés?

–Quince.

Lo dijo abriendo mucho los ojos y moviendo la cabeza de arriba abajo y se quedó mirándolo, como buscando la aprobación de él. Que no le dijera que era muy grande o que no le dijera que era muy chica.

–¿Cuánto cobrás?

–Veinte pesos el oral y treinta con penetración.

Hacía ya más de treinta años, Andrada había frecuentado los cabarets de la zona sur y de Constitución. Siempre le había hecho gracia que las prostitutas se refirieran al sexo con un lenguaje digno de un médico. Jamás hubiera imaginado que, tantos años después, una adolescente usaría ese mismo lenguaje púdico, higiénico.

La cifra que le pedía era absurda. Él podía pagar diez, veinte, cincuenta veces más por un momento de sexo. ¿Cuánto costaría una puta fina en un departamento privado de Recoleta? Nunca había ido con ninguna. Seguramente más de algún conocido o su cuñado debían arreglar citas con esa clase de prostitutas. Los mismos que jamás se hubieran animado a detener su auto frente a una villa para subir a una chica.

–¿Con mi boca o...?

No agregó nada más. Él pensó en lo que había dicho el camionero. Su auto era cómodo, pero no quería arriesgarse a que alguien lo viera con la chica encima. En cambio, si se la chupaba ella iba a quedar oculta a la vista de cualquier auto que pasara.

–Con tu boca.

–Son veinte pesos.

Extendió la mano. Él buscó la billetera en el bolsillo trasero del pantalón. Sacó un billete de cien y se lo dio. Ella lo miró seria.

–No tengo cambio.

–Es todo para vos, Daiana.

Fue la primera vez que dijo su nombre. ¿Cuántas veces lo repetiría en los próximos días como un mantra? Dijo «Daiana» y en su cabeza el nombre continuó resonando: daianadaianadaianadaianadaiana.

–Entonces vamos. Acá a unas cuadras hay un lugar tranquilo donde podés estacionar el auto.

–¿Acá no?

–No. Acá es peligroso. Arrancá y yo te digo.

Andrada se dio cuenta de que había caído en una

trampa. Que iba a llevarlo hacia algún lugar donde le iban a sacar el auto, el dinero. Tal vez lo secuestraran. Debía decirle que no, que se quedara con la plata y que se bajara del auto. Pero había llegado hasta ahí, se había animado a más de lo que se había permitido imaginar. Algo lo impulsaba a seguir adelante.

Trabó las puertas del auto y Daiana no dijo nada. Se acomodó en el asiento como si siempre hubiera viajado en él. Le hizo retomar por Iriarte. Esa avenida que cruzaba Alcorta y por la que nunca había tomado. Si Amancio Alcorta era la vía que lo llevaba de un mundo a otro con la seguridad del que sabe estar en los dos lados, Iriarte lo metía en el corazón de ese mundo del que ignoraba todo. La villa, que a la altura de Alcorta estaba del lado norte de la ciudad, ahora aparecía hacia el sur. Apenas podía vislumbrar las casas precarias, los negocios con carteles pintados a mano. Antes de llegar a una avenida, Daiana lo hizo doblar hacia la izquierda, como alejándose de la villa y adonde había unos galpones que parecían abandonados. Anduvieron unos doscientos metros y le volvió a indicar que doblara a la derecha. Le dijo que se detuviera apenas giraron. Estaba completamente oscuro y la villa había vuelto a aparecer del otro lado. Estaba un poco desorientado. Pensó que de las casillas iba a aparecer la gente que lo atacaría. O tal vez permanecieran escondidos en los galpones de esa vereda. ¿En qué momento se abalanzarían sobre el auto?

Daiana le apoyó una mano en el muslo y con esa caricia consiguió hacerle olvidar inmediatamente su desconfianza. Andrada giró y le dio la espalda a su ventanilla, a la villa que se ocultaba del otro lado de la calle.

–Dejame verte las tetas.

Ella se levantó la remera y el corpiño y aparecieron las tetas pequeñas, altas, que culminaban en unos pezones oscuros. Él se las acarició. Ella lo miraba hacer. Tomó un pezón entre sus dedos y lo frotó. Era puntiagudo y flexible. Daiana se acercó para que él pudiera besárselas. Andrada caía en el abismo de sus ganas, de sus deseos satisfechos con la alegría del suicida que salta desde un rascacielos. Pasó una mano por la espalda de ella para aproximarla más y le chupó las tetas con una pasión que no recordaba haber sentido nunca por ninguna mujer. Ella emitió un leve gemido y apoyó la mano en su bragueta. Andrada sacó su boca del pecho de ella.

–Quiero verte la bombacha.

Ella se desabrochó el jean y abrió el pantalón todo lo que podía. Tenía una bombacha blanca con una pequeña rosa en el frente. Él acercó su mano, la acarició y metió sus dedos dentro de la bombacha. Sintió el vello del pubis. Ella volvió a la bragueta de él, le bajó el cierre y buscó con una mano lo que hacía presión contra la ropa. Andrada quedó con la pija al aire y por unos segundos permaneció quieto, como una estatua obscena. Daiana comenzó a masturbarlo mientras miraba la verga. Acercó la boca, le dio unos besos y empezó a chuparla. Andrada cerró los ojos y con la mano derecha volvió a buscar el cuerpo de la chica.

Primero, la espalda hasta el comienzo del culo. Luego quiso acariciarla adelante. Ella abrió las piernas para facilitarle la maniobra sin sacar su boca de donde estaba. Él pasaba su mano por el vientre de ella, por esa piel que resultaba tan fascinante para las caricias. Estaba por acabar, sentía el orgasmo cercano. Cuando con sus dedos llegó a la concha y la penetró, sintió cómo su esperma llenaba la boca de ella, que siguió chupando unos segundos más. Él retiró la mano y ella se apartó. Con la misma suavidad destrabó y abrió la puerta de su lado y escupió en la vereda. Volvió a cerrar la puerta. Se limpió la boca con la mano y lo miró. Él tenía todavía su mano húmeda. Olió sus dedos y luego los chupó.

–¡Qué asqueroso! –casi gritó ella, y atinó a sacarle la mano de la boca y con las suyas se la secó. Después pasó las manos por el pantalón, limpiándoselas a su vez.

–Me tengo que ir –dijo Daiana de pronto, como si se le hubiera hecho tarde de golpe.

–Te llevo a donde subiste.

–No. Yo me quedo acá. Sabés salir, ¿no? Por ésta derecho salís a Zavaleta. O podés volver por donde viniste.

Afuera no se veía a nadie. Andrada ni siquiera había vuelto a trabar las puertas. Ella se acercó para darle un beso en la mejilla y, cuando estaba por salir, él la detuvo. Sacó nuevamente la billetera y le dio otro billete de cien pesos. Ella miró primero el billete unos segundos, lo tomó y lo miró a él con una sonrisa enorme, y arqueando el cuerpo hacia delante, como poniendo más altas las tetas, le dijo:

–¿No me querés adoptar? Me llevás con vos y podés decir que sos mi papá.

Andrada no dijo nada. Ella se bajó del auto y sin mirar atrás se metió en la villa. Andrada trabó las puertas, retrocedió hasta la calle por la que había venido y retomó la avenida Iriarte hasta Alcorta. Cuando tomó su avenida sintió que ya no corría peligro. Dentro del auto todavía se respiraba el aroma del cuerpo de ella. Volvió a acercar sus dedos a la nariz. Decidió que al día siguiente pasaría a buscar al contador y lo llevaría por el camino de siempre. Seguiría con su rutina semanal sin cambios. Y cuando fuera por Amancio Alcorta miraría hacia la villa. Ese territorio ya no le era tan ajeno.

5

Andrada no sabía jugar al ajedrez. En realidad, desde que había olvidado su interés por Huracán, no le gustaban ni los juegos ni los deportes. Pero sabía que en el ajedrez no hay azar y eso le resultaba atractivo. Creía que si alguien le hubiera enseñado a mover las piezas habría sido un excelente jugador porque entendía la vida como una serie de movimientos. Cada decisión era una jugada que lo llevaba al triunfo o a la derrota. Siempre trataba de prever la mayor cantidad de jugadas posibles. Así se había manejado en los negocios y le había ido bien.

En los días siguientes, no pudo dejar de pensar en Daiana. Se encontraba nombrándola en los momentos más extraños: en la fábrica, durante la cena, mientras se bañaba. Recordaba cada detalle desde que ella había subido a su auto. La imagen que más permanecía en su memoria era la de su vientre: el ombligo subiendo y bajando, la rosa de su ropa interior blanca, la piel oscura brillando a la luz de la luna.

Comenzó a imaginar una serie de movimientos alrededor de Daiana y él. Una partida de ajedrez que lo llevaría al éxito de una vida feliz si daba los pasos adecuados. Sí, por supuesto que se la podía llevar con él a una casa nueva para los dos. Una de esas casas lindas de Lanús, de los que hicieron plata y no quisieron irse del barrio. Prefirieron construir sus chalets entre los hogares humildes de sus vecinos de toda la vida. Una casa así, para ellos dos. Calculó: le quedaban, en el mejor de los casos, treinta años de vida. Ella tendría cuarenta y cinco años cuando él se muriera, si es que no se terminaban sus días antes. Al fin y al cabo ninguno de sus padres había llegado a los sesenta y cinco años. Se la llevaría con él, la sacaría de esa villa, le daría todo lo que ella pudiera necesitar o desear, de la misma manera que él iba a tener todo lo que ahora deseaba: su cuerpo de adolescente. Cualquiera le hubiera dicho que era una locura. Pero también se lo habrían dicho cuando decidió frenar el auto en la esquina de la villa. No era un idiota. Sabía que ella no iba a querer estar toda la vida con él. Que ella tuviera amantes, que le metiera los cuernos. No iba a importarle si se quedaba con él.

Y tenía cómo conseguirlo: al fin y al cabo, si ella quería heredar una parte de su fortuna debía estar con él hasta el final. Por más que se casaran, no iba a poder dejarlo así porque sí. Salvo la fábrica (y de la fábrica, sólo las maquinarias y el terreno), no figuraba en ningún otro negocio de los que participaba. Las cuentas bancarias en paraísos fiscales, las acciones guardadas en sitios seguros: sin su buena voluntad, nadie iba a heredar nada.

Ella, con el tiempo, iba a querer casarse y tener un hijo con él. No le molestaba la idea. Que nadie le dijera que lo quería atar con eso. Al fin y al cabo, ¿no era lo que también había hecho su esposa? ¿No lo había atado con el embarazo de su primer hijo? ¿No lo habían empujado a casarse, a formar una familia, nada más que porque se había acostado con ella y la había embarazado? Y no sólo la familia de su familia. ¿Acaso el viejo Ramírez le hubiera dado el manejo de la fábrica si no se hubiera casado? Su esposa no había sido mejor de lo que podría llegar a ser esa chica con tal de salvarse económicamente. Pasados algunos años, su esposa consideró que era necesario tener otro hijo, sobre todo para mantener a su marido atado al hogar. Apostó todo a una hija y lo consiguió. Y él era feliz con sus dos hijos. Con el mayor radicado en Estados Unidos y haciendo un doctorado de economía en el MIT. Con su hija menor, que estudiaba psicología y que era su oasis en la vida cotidiana.

Por supuesto que podía empezar algo distinto con Daiana. Los primeros años no tenía por qué enterarse nadie. Formaría parte de su vida secreta, como el recorrido por la avenida Alcorta todos los días. Después, cuando ella fuera mayor, cuando nadie lo pudiera acusar de abusar de menores, entonces podrían estar juntos sin dar explicaciones. Detestaba las explicaciones, recibirlas o darlas. Prefería la acción.

Estaba claro que él quería tener a Daiana para sí. Convertir en varios días esos veinte minutos. Pensaba en ella y tenía una erección, pero también sentía que el corazón se le estrechaba, como le ocurría en su adolescencia ante alguna chica que le gustaba. Si había conseguido llegar a ella a pesar de todo lo que los separaba, no le iba a resultar difícil el segundo paso. Lo más complicado había pasado, se decía. El miércoles siguiente, ya lo había decidido, volvería a estar con ella y empezaría a hacer los movimientos necesarios para ganar esa partida de ajedrez, cuyo premio era disponer de los próximos años de esa chica.

6

Había alerta meteorológico en toda la ciudad de Buenos Aires. Posible granizo después de un día agobiante de calor, algo inusual en esos primeros días del otoño. Cuando Andrada salió del bar El Olmo hacia la Villa 21, comenzaba a cargarse el cielo de nubes de lluvia. La humedad parecía desprenderse del piso. Se encerró en el auto y puso el aire acondicionado al máximo. Cruzó las avenidas Pueyrredón y Jujuy en su microclima refrigerado, mientras veía cómo de a poco se levantaba un viento cada vez más fuerte.

No le molestaba que lloviera, al contrario. La lluvia le ofrecía un escenario mucho más cómodo para lo que tenía planeado. Una cortina de agua que lo ocultara de los otros automovilistas o de paseantes circunstanciales y que le permitiría ir más allá de una fellatio. En realidad, si iban a la misma esquina que la vez anterior, ni siquiera la lluvia era necesaria porque no había persona que pasara por ahí.

Cruzó las vías del ferrocarril y mantuvo la velocidad baja observando hacia la villa. Cuando llegó al cruce de Amancio Alcorta e Iriarte, no vio a nadie. Tal vez la vista no le daba para ver en detalle la mano de enfrente, así que siguió unas cuadras más, dobló rodeando la plazoleta del bulevar y retomó por Alcorta. Llegó nuevamente a la esquina y no observó ningún movimiento. Como si el viento que arrastraba ramas y papeles hubiera espantado a las chicas. Estacionó el auto y esperó unos minutos, pero el panorama no cambió: sólo jirones de basura desprendidos que volaban arrastrados por el temporal.

Decidió dar una vuelta por Iriarte. Hacer el camino que habían hecho juntos. Tal vez estuviera con otro cliente. Tal vez paraba en otro lugar. Dio la vuelta y llegó hasta los galpones sin verla. En cambio observó que del lado de la villa había otras chicas que apenas se dejaban ver, buscando guarecerse de la tormenta que estaba por desencadenarse.

Dobló y llegó a la esquina donde había estado con Daiana. No había ningún otro auto. Estacionó y esperó unos diez minutos con la radio encendida. Le gustaba ese murmullo de fondo. Le había dado confianza la vez anterior y ahora le daba tranquilidad para quedarse ahí. ¿Por qué en ningún momento había considerado la posibilidad de que ella no estuviera? Daba por hecho que estaría parada en la misma esquina y ahora comenzaba a pensar que tal vez no le iba a resultar tan fácil encontrarla. Arrancó el auto y volvió a la avenida Iriarte.

Una chica estaba parada entre dos casas que parecían moverse con el viento. Tenía el aspecto de ser una adolescente como Daiana. Estacionó el auto a su altura y esperó a que se acercara. Fue lo que la chica hizo.

–¿Vamos a algún lado? –le dijo, poniendo una voz que intentaba ser sensual, pero que dicho por una chica de su edad sonaba a la imitación de un parlamento de una película. Andrada destrabó las puertas y la chica subió. Era un poco más menuda que Daiana. Era rubia, tenía la piel cobriza y el rostro aindiado. Llevaba una minifalda de jean y una remera ajustada que le remarcaba las tetas, bastante más grandes que las de Daiana.

Andrada se había acercado con la intención de averiguar cómo encontrar a Daiana. Seguramente esa chica la conocía. Pero ahora también deseaba a esa adolescente que hablaba como una mala actriz de película romántica.

–¿Cómo te llamás?

–Me dicen Luli. Treinta pesos por muchos besos ahí y cincuenta si querés un servicio muy completito, con besos incluidos.

Andrada le pasó un billete de cien.

–¿Querés dos participaciones?

–Por ahora me conformo con una. ¿Conocés a una chica llamada Daiana?

–¿Una negrita alta que se la cree?

–Digamos que sí.

–La conozco a esa fumona. Anda siempre por Alcorta, es del barrio Zavaleta.

–¿Fumona?

–Le da al paco todo el día y a la noche trabaja para comprar más paco. Tan creída que era hace un año y ahora entrega todo por diez mangos. Ella te cobró diez pesos, ¿no?

–Cuando estuve con ella no parecía drogada.

–Disimula bien ésa. Si hasta estuvo internada en el Penna, la muy fumona. Está todo el día con los pibes quemeros.

–¿Vos no fumás paco?

–No, para nada. Yo no hago esto para comprar la porquería. Yo quiero ser como vos.

–¿Como yo?

–Millonaria.

Andrada se quedó mirándola. Hasta que ella dijo:

–Bueno, ¿vamos a un lugar tranquilo?

La chica le dijo que siguiera derecho por Iriarte. No lo estaba llevando al mismo sitio que Daiana.

–Yo conozco un lugar acá a la vuelta que está muy bien –dijo él.

–¿Al lado del barrio Zavaleta? ¿Ahí te llevó ésa? Ahí es repeligroso, te chorean los pibes del Indio.

–Está protegido de los vientos y la tormenta.

–La tormenta es puro espamento. No va a llover nada. Cruzá Zavaleta y seguí derecho.

Unos trescientos metros después de la avenida Zavaleta, le hizo doblar a la derecha por una calle que se metía en el interior de la mano sur de la villa. Avanzaron unos cien metros y le hizo detener el auto doblando en una especie de pasaje angosto. En el camino se habían cruzado con más gente que del otro lado de la villa y eso a Andrada lo inquietaba.

Se escuchaban truenos a lo lejos. Como si la tormenta ya hubiera pasado o como si todavía no hubiera llegado a ese rincón. No había subido el freno de mano cuando Luli ya le estaba bajando la bragueta. Cuando apareció la pija erecta, ella hizo una especie de «ohh». Le hablaba a la verga como si fuera un bebé al que le daba besos cariñosos. Hasta que empezó a chupar y a pajearlo. Andrada esta vez no quería acabar en la boca de la chica. Le tomó la cabeza para alejarla. Luli se incorporó de entre sus piernas y lo miró con una sonrisa interrogante. Él le levantó la remera y vio esas tetas generosas, suaves como la piel de Daiana. Se las chupó con voracidad, clavándole los dientes como a una fruta.

–Dale, papi, chupame así, que me gusta –decía ella con un tono que a Andrada le resultaba molesto, pero no por eso se detuvo.

Con los movimientos, la minifalda de la chica se había subido. Abajo tenía una bombacha de rayas multicolores. Él quería penetrarla así, con la minifalda levantada. Bajó el freno de mano y corrió lo más que pudo el asiento del acompañante. Se pasó con dificultad para ese lado mientras ella le dejaba espacio haciendo una rara maniobra. Andrada tiró para atrás el respaldo y la chica quedó arriba de él, con las tetas pegadas a su pecho. Ella retrocedió un poco, casi tocando con el culo las rodillas de él.

–¿Tenés forro, papi?

Tenía. Había comprado esa mañana en un kiosco de Lanús y los había dejado en la guantera. Se irguió levemente y revolvió el compartimiento hasta que apareció la caja. La rompió y sacó un preservativo. Con la boca cortó el sobre y se lo pasó a ella, que, con precisión y rapidez, se lo puso sobre la pija. Lo siguió pajeando con la mano derecha mientras que con la izquierda se corría la bombacha. Levantó lo que pudo el cuerpo y se hizo penetrar. Él sintió que el sexo de ella lo absorbía, lo apretaba. Le gustó imaginarse que su pija estaba abriendo un cuerpo virginal.

–¿Qué edad tenés? –le preguntó, y su voz salió entrecortada.

–La que vos quieras, papi.

–¿Quince?

–Catorce. ¿Te gusta que tenga catorce?

Acabó antes de decir nada más. Ella detuvo el movimiento de su cuerpo. Andrada vio volar bolsas de plástico y vio dos perros que cruzaban por delante del auto. A pesar del aire acondicionado, sintió que hacía calor y que el cuerpo de ella le pesaba. Su pija ya estaba flácida y al sacar el forro el semen se desparramó en parte sobre su pantalón. No supo qué hacer. Si tirarlo ahí o en otra parte. Bajó la ventanilla y lo arrojó lejos. La chica se había acomodado la bombacha y permanecía arriba de él. Andrada decidió volver a su asiento. Luli maniobró para dejarlo pasar y él comenzó a mudarse de lugar. Ella se quedó unos segundos más en esa posición incómoda.

Todo ocurrió en un segundo. La chica la vio antes que él, porque en un primer momento Andrada miró hacia delante y por los espejos retrovisores. Estaba atento a si pasaba alguien por ahí. Por eso tardó en observar la butaca del acompañante, el lugar que él había dejado hacía poco. Ella sí la vio enseguida. Sobre el asiento había quedado la billetera que se había caído del bolsillo trasero del pantalón. Andrada recién miró hacia ese lado cuando la mano derecha de Luli tomaba la billetera a la vez que con la izquierda abría la puerta del auto. Un segundo más tarde estaba afuera. Y corría.

Lo de Andrada fue instinto puro. No pensó en la plata que llevaba en la billetera. Lo primero que se le cruzó por la mente era que ahí llevaba una foto de su hija. No era una foto actual sino de unos tres o cuatro años atrás, cuando su hija todavía estaba en la secundaria.

Bajó del auto y comenzó a seguirla. La chica dobló en la primera esquina pero no se había alejado mucho porque llevaba sandalias y no podía correr muy rápido. Andrada tenía que recuperar la billetera, la foto de su hija, las tarjetas personales que decían «Julio Andrada-empresario» y la dirección y los teléfonos de la fábrica y su celular. Tenía que volver a recuperar su anonimato.

Luli volvió a doblar, y en la esquina Andrada se cruzó con unas personas que iban en sentido contrario y que sólo atinaron a mirarlo. Él apenas las vio. Unos metros más adelante, la chica se tropezó y rodó por el suelo de tierra y piedras. Tenía la pollera levantada y la cara sucia de barro. Andrada se arrojó sobre ella y la tomó por el cuello. Luli atinó a ponerse de pie para que no la ahorcara.

–Devolveme la billetera –su voz era un murmullo amenazante.

Ella la arrojó lejos. Él le dio un empujón, que tiró a la chica de nuevo al piso y fue hacia la billetera que había caído al lado de una casilla. Se fijó si estaba la foto: su hija le sonreía detrás del plástico transparente que protegía la imagen. La guardó en el bolsillo. En ese momento la chica gritó.

–Hijo de puta.

Su voz se oyó con la claridad de un trueno sobre la cabeza. Luli estaba todavía sentada en el suelo, las manos en el barro, la bombacha al aire. Alguien salió de la casilla de enfrente. Era una mujer flaca de unos cuarenta años. Lo miró con odio. Se oyeron ruidos de gente proveniente de todos lados. Andrada comenzó a correr y escuchó que alguien lo corría. Una persona, o dos, o tres. Lo insultaban. Delante vio a dos muchachos que al darse cuenta de la situación se pusieron en posición de esperarlo para atraparlo. Uno de esos dos estaba en cueros y tenía tatuajes en el pecho y en los brazos. A pesar de la oscuridad y de la tormenta, creyó distinguir el dibujo de un Cristo en la cruz. Andrada quedó a un par de metros de ellos y aprovechó el espacio entre dos casas para doblar y meterse por ahí. Se alejaba del auto pero eso no le importaba. Oyó que gritaban «que no se escape». Alguien repitió «hijo de puta». Otra voz dijo «la violó, la violó». Subió por una montaña de basura y las piernas se hundieron en los desechos. No tenía más aire, no podía seguir corriendo. Uno olor nauseabundo llegaba de todos lados, se tropezó y no quiso detenerse, anduvo en cuatro patas, con las manos hundidas en la mierda. Cayó del otro lado de esa montaña de basura, se frenó y se escondió atrás de unas chapas. Los que lo seguían pasaron de largo y cuando creía que estaba a salvo, alguien apareció por el lado de la casilla donde estaba guarecido.

–¿Qué querés, mierda, acá? –le gritó.

Andrada lo empujó y notó que su fuerza era superior a la resistencia de ese hombre morocho, un poco obeso, de pelo ralo. Con sus últimas fuerzas volvió a correr.

–Te voy a cagar a tiros –dijo el tipo que quedaba atrás y que entraba a su casilla. Seguramente iba a buscar un arma.

Andrada se alejó corriendo en zigzag, doblando

aquí y allá a la búsqueda de una salida de la villa. Creía que no estaba perdido, que no se estaba metiendo cada vez más en lo profundo de esas casillas sino que se acercaba a alguna de las avenidas que la limitaban. A lo lejos vio una especie de procesión, de gente que pasaba empujando carros. Iban apurados, tratando de guarecerse de la lluvia cercana. Eran o debían ser cartoneros que volvían a su lugar después de recorrer los barrios de la ciudad en busca de papeles, metales, vidrios, lo que fuera que les sirviera para vender. Decidió no pasar por delante de los cartoneros, pero se dirigió en paralelo hacia donde ellos venían. Si estaban entrando a la villa, él debía ir hacia ahí para salir. Sintió el golpe de una piedra en su cabeza. Luego otra y otra más. Caían sobre sus hombros, en la espalda, sobre la cara. Era el granizo. La tormenta se había desencadenado.

Fue hacia donde había más luz y se encontró nuevamente en la avenida Iriarte. Caminó hacia la calle siguiente. Había una enorme cruz blanca. Se acercó al monumento para tomar aire. Miró la cruz y vio escrita sobre ella los nombres de distintas personas. Nombres, apellidos, apodos, fechas. Andrada no se detuvo a pensar demasiado qué sería todo eso. Sólo quería ubicar su auto. Reconoció la esquina donde había doblado con el automóvil. Caminó bajo las piedras que lo golpeaban duro, atento a que no apareciera nadie por detrás.

Una piedra le pegó sobre la ceja. Se pasó la mano y notó que sangraba. La lluvia se le mezclaba con la sangre y apenas podía ver con el ojo izquierdo. Apuró el paso porque no veía el momento de encontrarse en su auto. Lo divisó al girar en la callecita en donde la chica lo había hecho estacionar. Pero una sombra lo hizo detenerse. Alguien estaba en el interior del vehículo.

En ese momento recordó que había dejado las llaves puestas. Sin embargo, la persona que estaba dentro, esa sombra que apenas se movía, estaba en el asiento del acompañante. Seguramente había entrado para robar el estéreo y lo estaba sacando. Andrada avanzó lentamente sin descuidar sus espaldas. La persona de adentro del auto se estaba pasando al asiento del conductor. Había descubierto las llaves del vehículo y no iba a conformarse con robar sólo el equipo de música. Andrada no sabía cómo iba a hacer, pero pensaba sacar a ese tipo del auto.

Fue hacia la puerta del lado del conductor y la abrió de golpe. Se sorprendió al ver adentro a un chico que no debía tener más de doce o trece años. El pequeño ladrón lo miró como un animal asustado, pero eso duró un segundo. Cuando Andrada pensaba en decirle que se bajara, el chico le tiró un puntazo con algo que llevaba en la mano, un cuchillo o una navaja. Andrada se protegió con el brazo y el filo le produjo un corte que lo hizo retroceder. Ese retroceso, en realidad, le dio fuerza para volver hacia el chico, tomarlo de cualquier manera y empujarlo afuera. El adolescente volvió a cortarlo, ahora sobre el muslo derecho, a la vez que iba a parar al suelo y la piedra del granizo caía también sobre él. A ciegas, tiró varios puntazos más sobre Andrada, que atinó a buscar el extintor debajo de su asiento.

Fue un solo golpe. Con toda su fuerza. Con todo su miedo. La fuerza y el miedo acumulados desde que se había bajado del auto. El miedo a no recuperar la foto de su hija, a que lo siguieran, a que lo atraparan. El miedo a que ese chico lo matara a puñaladas. Un golpe duro, tan fuerte que él mismo –que ni siquiera se había vuelto a pelear con alguien desde los doce años– se sorprendió. Pegó en la cara del chico. Ruido de platos rotos. Ruido de un vidrio que se hace trizas. Ruido de algo que se quiebra apenas amortiguado por el sonido de la tormenta. El chico golpeó a su vez la nuca contra la puerta trasera y se cayó.

En un primer momento, Andrada no se dio cuenta de que el cuerpo de ese chico ya no vivía. Se quedó mirándolo, aferrado al extintor, como esperando que el ladrón reaccionara y le tirara una puñalada más. Después dejó el extintor en el suelo y se agachó para verlo. La nariz y la boca eran un amasijo rojo. Tenía los ojos apretados, como si hubiera previsto el golpe y los hubiera cerrado una milésima de segundo antes de que el extintor diera en su cara. Andrada le apretó el cuello buscando el pulso. Sin querer lo empujó y el cuerpo cayó totalmente sobre el barro. Andrada comenzó a gemir y a llorar mirando para todos lados. Pedía disculpas y que lo perdonaran pero nadie lo oía, porque nadie, ni los que lo perseguían ni otras personas, estaba ahí. Sin dejar de gemir tomó el cuerpo del chico –que todavía se aferraba a un pequeño cuchillo– y lo arrastró hasta un costado donde el pasto crecía más alto. Una voz en su interior le indicaba que tenía que irse ya de ahí, que no perdiera más tiempo. Que escapara.

Volvió al auto. Levantó el extintor y vio que a pesar de la lluvia tenía sangre o un colgajo de carne pegado a un costado. Lo limpió con barro y lo mismo hizo con el borde del vehículo donde el chico había pegado después de su golpe. También trató de sacarse su propia sangre, producto de los ataques y de las piedras. Se llenó de barro como si fuera un lodo curativo. Empapado se subió al auto y cerró la puerta. Trabó todas las puertas. Encendió el motor y automáticamente se encendieron las luces exteriores. Las apagó torpemente. Las manos le temblaban. Iba a dar marcha atrás cuando se acordó: el preservativo.

Bajó nuevamente del vehículo y corrió hacia donde lo había tirado. Buscó pero no veía nada. No recordaba exactamente si lo había arrojado con mucha fuerza o apenas lejos. Arrodillado sobre el barro, manoteaba aquí y allá hasta que cuando estaba por darse por vencido, tocó la goma del forro. Lo agarró y lo apretó con el puño. Existía la posibilidad de que ese preservativo fuera de otro. Pero Andrada prefirió pensar que ése era el que había usado.

Ahora sí dio marcha atrás y salió a la avenida. Aceleró todo lo que pudo y se alejó por Amancio Alcorta hacia Pompeya. Recién en Sáenz aflojó la velocidad. ¿Qué le diría a un policía si lo detenía por exceso de velocidad? ¿Cómo justificaría los cortes de su cuerpo?

Por suerte ya casi no sangraba. Pero estaba empapado, lleno de barro y de lamparones de sangre en toda la ropa. Antes que nada, tenía que calmarse, dejar de temblar. Recuperar la tranquilidad. Miró hacia la radio porque pensó que escuchar una voz le iba a dar la calma que necesitaba, pero fue peor: el estéreo no estaba. Seguramente el chico lo había robado y lo tendría entre la ropa. Debía regresar a donde había dejado el cadáver. O no. Al fin y al cabo era un equipo estándar. Aunque sus huellas estarían en todo el frente del aparato. ¿Y si ya habían encontrado el cuerpo?

Giró y volvió por el camino que había hecho. Se metió en la villa como si fuera parte de ella. No con tranquilidad pero sí con la seguridad de quien conoce el terreno. Llegó al lugar a donde había comenzado y había terminado esa noche con la chica. Al costado, como él lo había dejado, estaba el cuerpo del adolescente. Estacionó a su lado y lo palpó. Evidentemente el chico se había metido el estéreo en la cintura, pero con los movimientos se le había corrido hasta la pierna. Andrada le desabrochó el pantalón. No llevaba ropa interior y sin quererlo tocó la pija oscura y flácida. Encontró el aparato pegado al interior del muslo derecho. El chico también llevaba algo en el bolsillo. Andrada metió la mano y encontró una bolsita hecha un bollo. Sin saber por qué, la guardó en su pantalón. Dejó al chico así, con la ropa desabrochada y con el sexo absurdamente afuera.

No pudo evitar quedarse unos segundos bajo la lluvia observando hacia la villa. Nada parecía moverse en las casillas. ¿Dónde estaban los que lo seguían? La chica sabía que había dejado el auto ahí. ¿Por qué no había vuelto con la otra gente? Andrada no pensó que lo suyo era suerte sino que debía esconderse una trampa. O tal vez le temían. Lo habían visto matar al chico y le tenían miedo y lo estaban observando desde la oscuridad de la villa. Decidió no pensar más en eso. Tiró el estéreo en el asiento del acompañante y arrancó. Hizo por segunda vez el camino de regreso. Dejó Pompeya atrás, y luego los barrios de Boedo y Abasto, hasta que llegó a Barrio Norte. Poco antes de arribar a su casa, detuvo el auto en una calle tranquila, buscó un buzo que tenía guardado en el baúl y se lo puso encima de la camisa manchada. Llegó a su edificio y abrió con el control remoto el portón. Sólo esperaba no cruzarse con nadie en el estacionamiento y en el ascensor. Guardó el estéreo en la guantera y tomó el preservativo que había dejado en el cenicero. Lo puso en un bolsillo.

Subió por el ascensor de servicio sin ver a ninguna persona en el camino y entró a su casa por la cocina. Ahora sólo esperaba que su mujer o su hija no anduvieran levantadas. Podía decir que le habían intentado robar. Que se había defendido. Que a Dios gracias estaba bien, más allá de algún golpe o un corte.

En su casa había un silencio absoluto. Fue al baño de servicio, se sacó la ropa y quedó en calzoncillos. Al día siguiente debería hacer desaparecer todo lo que llevaba puesto esa noche y el preservativo. Separó la billetera, la bolsita que llevaba el chico, las monedas y unos clips que le habían quedado de la fábrica. Volvió a la cocina, buscó una bolsa de basura y tiró adentro la ropa y el pañuelo de tela con el que se había limpiado los cortes en el auto. Le hizo un nudo y fue hacia una baulera que había en el cuarto de planchar. Escondió la bolsa detrás de unas cajas. A la mañana iba a tener que sacarla antes de que llegara la mujer de la limpieza. Fue a su habitación. Oyó la respiración del sueño profundo de su esposa. Se dirigió muy silenciosamente hacia su escritorio. Guardó en uno de los cajones todo lo que había sacado de los bolsillos. Luego fue a su baño y se metió bajo la ducha. El agua primero fría y después muy caliente corrió por su cuerpo. «Maté a un chico», se dijo y se lo volvió a repetir varias veces mientras dejaba que el agua caliente arrastrara hacia el sumidero los restos del barro y la sangre.

Hizo un bollo con el calzoncillo. Se puso un toallón alrededor de la cintura y volvió al cuarto de planchar. Abrió la bolsa y también tiró el calzoncillo ahí adentro. Regresó a la habitación y así desnudo se acostó tratando de no tocar el cuerpo de su esposa. ¿Cuánto tiempo tardaría la policía en venir? ¿Horas, días? ¿Qué iba a decir si la policía lo venía a buscar? ¿Tendría margen para defenderse? ¿No debería estar llamando en ese instante a su abogado? ¿Cómo les explicaría a su mujer y a sus hijos qué hacía en la villa? Apoyó la cabeza todavía húmeda sobre la almohada. Estaba aterrado. Y sin embargo se durmió enseguida.

1

–Es por su seguridad, doctor –le dijo disculpándose el policía (¿González, Gutiérrez?), que conocía a Andrada desde hacía años, desde que Miguens, su contador, se había instalado en esas oficinas de Puerto Madero. El policía lo llamaba doctor y hacía lo mismo con toda la gente que él consideraba importante. Se lo veía incómodo con el nuevo sistema de seguridad que había incorporado el edificio: un detector de metales que obligaba a todos los visitantes a dejar en un recipiente monedas, llavero y reloj. Al policía le hubiera gustado hacer una excepción con Andrada y con toda la gente importante, pero no podía. Había demasiadas oficinas con abogados, contadores y políticos como para descartar que alguien pudiera entrar con un arma.

Andrada le hizo un gesto de que estaba todo bien y vació los bolsillos. No le caía mal ese policía del que alguna vez supo el apellido. En cambio, le molestaba, más bien le inquietaba, que la seguridad de todo Puerto Madero estuviera en manos de la Prefectura. Le daba al lugar un aire militarizado y dejaba una sensación de que en cualquier momento podía estallar una bomba.

No le gustaba que Miguens tuviera su estudio en Puerto Madero. Le resultaba incómodo ir hasta ahí. Por eso prefería resolver todo los jueves, cuando el contador, repitiendo una rutina anterior a la existencia del estudio en el barrio más caro de Buenos Aires, iba con él a la fábrica de Lanús.

A Miguens lo había conocido ocho años atrás, cuando era un contador con poca experiencia y mucha iniciativa que trabajaba para una consultora a la que Andrada le había dado el manejo administrativo de su fábrica. Andrada sabía elegir gente, ya fuera un operario para cortar caños o un abogado. Cuando lo vio actuar se dio cuenta enseguida de que le convenía más tenerlo a él que a la firma con la que trabajaba. Miguens también había visto la oportunidad y no la dejó pasar. En ocho años armó su propio negocio, tenía otros contadores que trabajaban para él, una secretaria con la que se acostaba y recepcionistas lindas. Como la que ahora le decía que pasara, que el contador lo esperaba en su despacho.

Cuando ingresó a la oficina, Miguens estaba sonándose la nariz con un pañuelo de papel. Era alérgico a los problemas. Bastaba una complicación para que comenzara a estornudar y a moquear. Andrada veía eso como un signo de debilidad y la única manera de manifestarlo era diciéndole que no le parecía de hombres usar pañuelos de papel. Él siempre llevaba un pañuelo de tela, doblado y planchado, en el bolsillo posterior del pantalón.

Andrada no estaba enojado, ni siquiera molesto.

Mucho menos triste. Llevaba el diario doblado, con la noticia del empresario muerto en la tapa.

–Qué cagada –dijo Miguens señalando con el pañuelo todavía en la mano el diario que Andrada había arrojado, con más displicencia que violencia, sobre su escritorio.

–Ya lo sé. Perdemos todo, ¿no?

El muerto se llamaba Andrés Galván y el diario decía que había fallecido de un infarto en su casa. Empresario, alguna vez frustrado candidato a diputado nacional, hombre de consulta de otros empresarios y de los medios, Galván había sido (y lo sería hasta el último de sus días) un usurero. Alguien que prestaba dinero a tasas altísimas fuera del circuito bancario. Le prestaba al comerciante con deudas, pero también a los capitalistas del juego clandestino, cuando necesitaban dinero fresco para pagar en esos días aciagos donde salía el 47 o algún otro número relacionado con acontecimientos sociales importantes. Con los años, Galván se había convertido en mucho más que un prestamista. Se hacía llamar asesor financiero, un viejo calificativo que blandía desde fines de los años setenta, pero que recién se había convertido en un título aceptado por los demás en los noventa. Tomaba dinero en negro que él volvía al mercado. Así funcionaba cualquier banco, y él también, aunque no dejaba comprobantes ni había boletas de depósito que cotejar. Su actividad se había ampliado con la colocación de activos en mercados extranjeros. Era un buitre pequeño entre los grandes, pero lo suficientemente grande como para manejar una parte importante del dinero en negro que circulaba en la plaza porteña.

Andrada y Galván se habían entendido desde un primer momento y se admiraban mutuamente. En realidad, los dos veían reflejado en el otro su crecimiento económico y podían hablar francamente de una infancia y una primera juventud con carencias de todo tipo. Pero muy rara vez hacían mención a ese pasado en común (uno en Lanús, el otro en Ciudadela). Los dos conocían sus historias y manejaban con seguridad los sobrentendidos del otro. La única diferencia entre ellos era que mientras Andrada siempre se había mantenido solo en los negocios, Galván se había asociado con un abogado y un economista con los que conformaban los cuadros superiores de su empresa financiera. Sin embargo, Andrada seguía tratando únicamente con su antiguo amigo.

Se habían conocido en 1978, cuando Andrada veía que todo lo que había construido en esos años estaba por caerse a pedazos por los cambios de la política económica. Si había sobrevivido e incluso crecido en esos tiempos había sido gracias a sus buenas relaciones con varios intendentes del Conurbano Bonaerense que lo habían contratado para hacer algunas obras públicas. A Andrada no le había despertado ningún problema moral tener que pagar sobornos, comisiones o como ellos quisieran llamarlo. Hacía números y, si había ganancia para él, no tenía problema de asociarse para la obra pública que fuera. La única condición que se ponía a sí mismo era hacer una obra fuerte y resistente, de irreprochable factura.

Por esa época, Andrada tenía varios depósitos a plazo fijo en el Banco de Intercambio Regional. Un gerente del banco le había dicho que conocía a unas personas que le permitirían ganar mucha más plata que con los plazos fijos. «Unas personas» era simplemente Galván, un joven emprendedor que había hecho algunas materias de Ciencias Económicas, que luego se dedicó a estudiar a fondo las medidas financieras de Martínez de Hoz y había logrado usar la tablita de la cotización del dólar como si fuera una tabla de surf que le permitía navegar en el mar de los negocios. Andrada era desconfiado pero intuitivo. Había algo en Galván que le despertaba confianza. Con los años descubrió que lo que le provocaba esa sensación de comodidad era que Galván tenía los mismos códigos que él. No le preocupaban los demás (fueran quienes fueran los demás) y se desvivía por los suyos, por su familia, sus socios, incluso sus empleados. Eran astillas del mismo palo.

Galván supo abandonar la tablita a tiempo, pero siguió surfeando en el mercado de finanzas. En esos años de especulación, Andrada pensó más de una vez en liquidar la fábrica, terminar con los servicios para la construcción, concentrarse sólo en los papeles financieros. Si no lo había hecho, era simplemente porque algo le decía que ese intercambio de papeles con números no era real. Era un juego que algún día alguien terminaría y se iba a quedar con eso: con un montón de recibos y documentos que no le alcanzarían ni para limpiarse el culo. En cambio, la fábrica, las obras que construían, los caños que cortaban, el acero que guardaban en los depósitos, eso sí era real. Valía menos –muchísimo menos– que lo que valían las acciones, bonos y depósitos que tenía, pero sabía que su fortuna estaba en ese enorme galpón con talleres y oficinas, sólido y monótono, en una manzana alejada de Lanús.

Andrada había sido el testigo privilegiado del crecimiento económico de Galván. Pero sabía que Galván no estaba del todo satisfecho, porque todos lo seguían viendo como un usurero con suerte. Soñaba con tener un banco, una entidad oficial que le abriera la puerta de los clubes más exclusivos. Lo más parecido a ser un financista respetado lo había conseguido invirtiendo en la compra de caballos de carrera a fines de los años ochenta, pero Galván se había aburrido y había terminado por vender los purasangre. Hacía unos pocos años había comprado una bodega familiar en Mendoza y pasaba parte del año creando vinos carísimos, que Andrada sospechaba que no le vendía a nadie.

No fue hasta comienzos de los noventa cuando Galván lo introdujo en el mundo de los prestamistas. Andrada le proveía dinero, que Galván a su vez se lo prestaba a otros. Mientras el país se derrumbaba alrededor de ellos, Andrada y Galván no dejaban de hacer dinero. Pero nunca suficiente. Nunca tanto como el que tenían otros que siempre los mirarían con desprecio.

En los últimos años, Andrada había puesto mucho

dinero en las manos de Galván, incluso desoyendo los consejos de Miguens, que le insistía en diversificar. Pero Andrada confiaba más en lo que Galván había aprendido en la calle que en los estudios de Miguens. Recién en los últimos meses había comenzado a preocuparse, cuando Galván reinvertía el dinero sin dar muchas precisiones y con algunas demoras en los pagos de las ganancias. Miguens se había puesto firme y casi le había prohibido seguir poniendo plata en los negocios de Galván. Sólo le dejaba reinvertir lo que ya tenía.

–¿Cuánto perdí?

Miguens dijo una cifra que sonaba absurdamente alta.

–En realidad, no sólo se perdió el dinero invertido. Las ganancias del próximo año estaban comprometidas en los proyectos del arquitecto Alperovich y hay que cubrirlo con plata de otro lado.

¿Cuánta plata gastaría Miguens en esa oficina, en esas putas disfrazadas de recepcionistas y secretarias? ¿Cuánto había pagado por esos sillones y por ese cuadro de líneas grises que dominaba la pared opuesta a los ventanales? Andrada apenas lo escuchaba mientras repetía como una letanía las cifras del dinero perdido.

–¿Los socios?

–No van a reconocer nada. Salvo los papeles de fondos públicos.

–¿La viuda?

–Algo seguramente va a pagar, porque no es boluda y querrá evitar quilombos mayores. Pero no creo que saquemos más del quince o el veinte por ciento del capital invertido. Olvidate de los intereses de estos seis meses.

Por el ventanal se veía el río interminable, el mismo río de su infancia. No, no era momento de perderse en esos recuerdos.

—Se murió justo —dijo Andrada por decir algo.

—O lo mataron justo.

Andrada se había enterado de cómo había muerto Galván. No fue en su casa sino en el departamento de una prostituta cara, de esas que cada tanto aparecían desnudándose en la televisión o en el teatro de revistas. Sabía que Galván la visitaba con cierta asiduidad, incluso se la había recomendado, pero Andrada le había dicho que no. Esa vez —lo recordaba perfectamente— había pensado que él no andaba con prostitutas y hasta había sentido que su admiración por Galván disminuía: no podía entender que se sintiera orgulloso por pagarle a una mujer para que lo satisficiera. ¿Qué ocurriría si se llegaba a saber lo de las chicas de la Villa 21? Andrada no dudaba de que todos, empezando por Miguens, que lo consideraba como un padre, lo despreciarían.

—¿Quién lo iba a matar?

—Los socios, la viuda. Cuando alguien muere fijate quién gana y desconfiá de ellos —a Miguens le gustaba dar consejos como si fuera una persona con mucha experiencia.

Se pierde por no tomar las decisiones correctas en los momentos justos, eso pensaba Andrada. Si no se hubiera dejado llevar por el sentimentalismo inútil que lo unía a Galván, tendría que haberlo presionado por el dinero hacía unos meses. Amenazarlo con la muerte, si era necesario. Tal vez otros a los que les debía plata se le habían adelantado y habían cumplido sus amenazas. Tal vez se había suicidado. Una sobredosis de Viagra, o simplemente dejar de tomar la medicación del corazón. Se habría ido a lo de su amante. La habría acariciado antes de caer muerto.

A Andrada no le importaba tanto que de un día para otro viera comprometida una parte de su fortuna. Al fin y al cabo, lo que tenía era mucho más que suficiente para que sus hijos vivieran el resto de sus días dilapidando lo que él había reunido. Sólo le inquietaba la rapidez con la que podía perderse la riqueza. Ganar esa plata le había costado años y en un segundo, como en una apuesta de casino, la había perdido. ¿Podía perder el resto con la misma facilidad? No. Nunca terminaría como su tío, como sus primos. De eso estaba muy seguro.

Incluso los temores de los días anteriores iban disminuyendo. O más que disminuir –porque no era un declinar constante–, iban volviéndose más espaciados. El terror constante de la noche y la mañana siguiente a su historia en la Villa 21 se perdía para volver de golpe y a cuento de nada.

Esa mañana siguiente se había despertado ahogando un grito. Había tenido una pesadilla en la que el chico aquel lo inmovilizaba boca abajo y él no quería apoyar la cara en el barro porque sabía que se iba a ahogar. Pero el chico tenía mucha fuerza y lo empujaba hasta el lodo, lo hundía y él no podía respirar. Fue cuando se despertó. Faltaban unos minutos para la seis de la mañana, la hora en la que se levantaba todos los días. Elsa, su mujer, se levantaba a las seis y media, así que se vistió, tomó la bolsa de basura con ropa y la llevó al baúl del auto. Volvió al piso y se dio otra ducha. Tenía el corte que le había hecho la piedra en el ojo como único punto visible de esa noche. No era muy llamativo y no le costó encontrar un justificativo –un movimiento torpe con el espejo retrovisor–, que su mujer ni siquiera registró mientras desayunaban juntos.

En la fábrica había un pequeño horno de leña. Esperó a que todos los obreros y empleados se hubieran ido para encenderlo y quemar el pantalón, las medias, la camisa, el calzoncillo, el pañuelo. No se animó a hacer lo mismo con los zapatos y el cinturón. Cuando terminó de quemar las prendas, se fue en el auto y dio unas vueltas por Lanús. Tiró los zapatos en lugares distintos, en terrenos baldíos donde la gente acumulaba la basura y donde un zapato solitario lleno de barro no resultaba llamativo. Se guardó el cinturón, porque no le pareció necesario deshacerse de él.

La bolsa había sido como una bomba de tiempo en el baúl. Ese día había esperado la llegada de la policía de un momento a otro. Había estado atento al timbre de entrada, a la llamada de Elsa desde su casa. Por un momento pensó en telefonear a su abogado, pero no veía cómo explicarle lo ocurrido sin ser demasiado claro y no le parecía que hubiera llegado el momento de contarle todo. También barajó la posibilidad de tirar la bolsa con ropa en algún baldío. Sin embargo, algo, parecido a un pálpito, le hizo esperar todo el día con la bolsa en el baúl de su auto.

En los diarios de la mañana no había habido noticias de la muerte del chico. Era lógico porque había ocurrido hacía unas pocas horas. Al día siguiente compró todos los diarios de Buenos Aires y no encontró tampoco nada. La información policial ocupaba muchas páginas con asesinatos, robos, trata de blancas, redes de pedófilos descubiertos en internet, pero nada decían de la Villa 21. Había mucho de alivio en no encontrar ninguna noticia de lo ocurrido aquella noche, pero también algo de desazón. Podía ser uno de esos crímenes que salían a la luz al mes o mucho tiempo después y no creía poder vivir con el temor de encontrar cualquier día en la página de policiales lo que había hecho.

Sin embargo, al cuarto día, una noticia breve de *Diario Popular* decía que habían encontrado el cuerpo de un adolescente de catorce años a metros de la avenida Iriarte. Los vecinos de la villa se habían quejado por la violencia creciente causada por lo que el diario denominaba «la guerra del paco» y daba a entender que la muerte del chico se debía a un ajuste de cuentas entre bandas rivales. Nada parecía relacionar esa muerte con alguien de afuera de la villa. Tampoco estaba seguro de que el adolescente mencionado en el diario fuera el mismo que había intentado robarle el auto y lo había atacado con un cuchillo. Andrada prefirió creer que sí, que ese chico era el que él había matado.

Después de tantos días buscando la noticia en los diarios, encontrarse con la muerte de su amigo prestamista le había parecido que tenía un extraño e indescifrable vínculo con la otra muerte. No se detuvo demasiado tiempo en buscar esa relación. Prefirió simplemente arrojar el diario sobre el escritorio de Miguens como había tirado a la basura los periódicos de los días anteriores.

2

El edificio en el que vivía Andrada, su mujer Elsa y su hija Florencia había sido construido en la década de los veinte como un petit hotel de cuatro pisos. En los cincuenta había sido vendido por sus dueños originales y se había convertido en una propiedad horizontal. Habían construido dos pisos más manteniendo el estilo señorial francés. En la planta baja estaba ubicada la portería y un departamento pequeño. Los dos primeros pisos tenían tres departamentos cada uno. El tercero y el cuarto estaban divididos en semipisos, y en los dos superiores había una sola unidad. En el sexto estaba el hogar de los Andrada. La familia había llegado hacía catorce años, cuando Florencia era chica y su hijo Gonzalo iba al colegio Carlos Pellegrini, a pocas cuadras de ahí.

Si Andrada se cruzaba con alguna de las pocas casas suntuosas y nuevas que había en Lanús, se preguntaba por qué no había intentado imponer su deseo de construir algo así cerca de su empresa. Elsa jamás había querido vivir en el Gran Buenos Aires, mucho menos en la zona sur. Las pocas veces que Andrada había hablado de comprar un terreno y construir una casa para vivir, ella había usado todas las excusas posibles: la educación de los hijos, la lejanía con el resto de su familia, los robos, secuestros e incluso asesinatos a los que era sometida gente como ellos. Andrada siempre había preferido dejar las decisiones de la vida cotidiana a su mujer. Al fin y al cabo, en cuanto al tema educación, estaba de acuerdo. Hubiera sido un problema que los chicos fueran a los mejores colegios de la Argentina –al Pellegrini, Gonzalo, y al Nacional Buenos Aires, Florencia– si no hubieran vivido en la Capital.

¿Iría a la escuela Daiana? Y la otra chica, ¿cuál era su nombre? Había olvidado el nombre de la ladrona. Y nunca había sabido el del ladrón. El diario que anunciaba su muerte no lo mencionaba. ¿Estudiarían esos chicos?, no podía evitar preguntarse. Como si cada acontecimiento de su vida cotidiana debiera tamizarlo desde ese momento por la vida (o la muerte) de esos adolescentes. Aunque de la segunda chica cada vez se acordaba menos. Se le desdibujaba el rostro, la voz, pero recordaba perfectamente su ropa interior de rayas, su cuerpo montado sobre él.

Se proponía no pensar en ellos, no tener nada más que ver con la villa. Ahora ya no iba por el camino de siempre, sino que tomaba por Boedo para no pasar por la avenida Amancio Alcorta. Incluso durante más de una semana, ni siquiera había cruzado por Pompeya sino por el Puente Vélez Sarsfield. Hasta que el jueves que debía llevar a Miguens, para no despertar sus sospechas, tomó por el camino habitual. Se puso nervioso al llegar a Pompeya, pero a su vez sintió que esa ciudad diurna, llena de colectivos repletos de gente, poco tenía que ver con la que había descubierto en aquella noche de tormenta.

3

Había dos razones para que Andrada fuera hasta Puerto Madero: visitar el estudio de Miguens o ir a buscar a su hija a la Facultad de Psicología. Florencia estudiaba en la Universidad Católica, y si bien Andrada le había ofrecido comprarle un auto, ella prefería no manejar. Volvía en colectivo o en un radiotaxi cuando las clases terminaban muy tarde. Y a veces le pedía al padre que la fuera a buscar. En esos viajes de Puerto Madero a Barrio Norte, Florencia hablaba con él como no lo hacía cuando se veían en casa. En realidad, su hija no hablaba demasiado de su propia vida. Por lo general, los temas de conversación eran los acontecimientos familiares: su hermano en Massachusetts, las discusiones de su madre con la chica que trabajaba en la casa, las actitudes pedantes de sus tíos.

La esperaba en el estacionamiento de la UCA. Ella siempre aparecía sola. No la acompañaba ningún compañero de clase. Y, sin embargo, cuando volvía por su cuenta, decía que viajaba acompañada. Un misterio que él había intentado develar, pero siempre recibía como respuesta un encogimiento de hombros por parte de ella que restaba importancia al asunto.

Como cuando mató al chico, esa noche también llovía. Su hija se subió al auto empapada. Empezó a toquetear la ventilación del auto dirigiéndola hacia ella para tratar de secarse.

–Eso te pasa por no usar paraguas –le dijo el padre, pero Florencia hizo como si no lo escuchara. Tiró lo que traía en el asiento de atrás y recordó que había dejado algo en la mochila. Apoyó las rodillas en el asiento y empezó a revolver entre sus cosas. El auto estaba detenido en un semáforo y Andrada vio cómo un muchacho le miraba el culo a su hija.

–¿Te podés sentar bien?

Ella siguió en esa posición hasta que encontró una remera y una toalla de mano. Andrada arrancó en amarillo.

–Es la del gimnasio. Está toda transpirada pero al menos está seca.

Florencia se quitó la camisa y quedó en corpiño, que estaba también mojado. Iban por avenida Independencia y Andrada sintió que todos miraban a su hija mientras se secaba con la toallita los hombros, el cuello, el vientre.

–¿Estás loca? ¿Cómo te vas a desnudar?

–Ay, pa, no seas exagerado. Nadie ve nada.

En un rápido movimiento se puso la remera. Después pasó sus manos por detrás, se desabrochó el corpiño y se lo quitó. Lo revoleó al asiento de atrás. Se desabotonó el vaquero, se sacó las sandalias y empujó el vaquero hacia abajo, haciéndolo un bollo junto al calzado. Se secó las piernas. Por un momento, a Andrada se le cruzó la imagen de Daiana sentada allí. A pesar de que ya habían pasado dos semanas el recuerdo de su cuerpo era más cercano que el de la otra chica. Al ladrón lo recordaba como si hubiera sido la noche anterior, o bajo esa misma lluvia.

Andrada se enojó. Le molestaba que su hija no respetara su pudor.

–Sos una inconsciente –le dijo, y ella se rió como si hubiera dicho un chiste.

–Todos somos un consciente y un inconsciente –le replicó ella, mientras tiraba el pelo hacia delante e intentaba secárselo con la toalla ya húmeda y el aire que salía de los ventiladores.

Andrada no le respondió. En cada semáforo miraba a los otros automovilistas: se imaginarían que estaba llevando a una chica sólo cubierta por una remera y una bombacha y sin corpiño. Idiotas. Nunca entenderían nada. Era su hija.

Pero Daiana no. ¿Se animaría a pasearla semidesnuda por la ciudad? ¿Se animaría a pasearla simplemente, a sacarla de la mierda de la villa? La muerte del chico ¿lo había alejado definitivamente de ella?

–Pa, quiero un trabajo.

Florencia recibía una mensualidad en su cuenta bancaria, además tenía una extensión de una tarjeta de crédito que usaba ella sola y que él pagaba. Y no era extraño que Andrada le diera plata en efectivo sin necesidad de que ella se lo pidiera.

–Primero recibite y después trabajás.

–Es que con Carla queremos alquilar un departamento.

–¿Para qué?

–Para irnos a vivir juntas.

Carla era su mejor amiga desde los doce años. Habían hecho juntas el ingreso al Nacional y estuvieron juntas toda la secundaria. Luego eligieron carreras distintas. Carla estudiaba Filosofía o algo así en la Universidad de Buenos Aires. A Andrada nunca le había gustado esa chica. Fumaba desde adolescente, se iba sola de vacaciones, siempre tenía un novio distinto, tomaba alcohol en todas las fiestas. Había sido la responsable de que Florencia y ella se emborracharan en la fiesta de la colación de grado de su hermano Gonzalo. No podía entender cómo su hija y esa chica podían ser amigas íntimas. Tampoco le caía bien el padre de Carla, un arquitecto prestigioso con algo de plata. Andrada era más importante que él y, sin embargo, siempre habían elegido al papá de Carla para cualquier asunto del colegio en el que tuvieran que participar los padres. La única ventaja del arquitecto sobre él era que había sido también alumno del Colegio Nacional.

–¿Ya lo hablaste con tu madre?

–Ella está de acuerdo.

–A mí no me parece el mejor momento.

–Nunca te va a parecer el mejor momento.

–Perdí mucha plata en unas inversiones.

–Por eso quiero trabajar. Para no seguir siendo una carga.

–¿Y adónde piensan alquilar?

Florencia miraba por su espejo del parasol cómo le había quedado el pelo mojado. No estaba conforme, así que se lo ató con una colita que tomó de su mochila, esta vez sin levantarse del asiento.

–Por Caballito. A ella le queda cerca de la facultad y a mí me queda más cómodo que desde casa.

–No parece un barrio muy seguro.

–Pa, no hay barrios seguros. ¿Querés que nos mudemos a un country?

–No, pero cerca de casa sería mejor.

–Vos porque sos varón, pero a mí no me gusta nada llegar y ver a los cartoneros en la puerta o en la cuadra.

–No hacen nada los cartoneros.

–A vos. No sabés cómo te miran cuando pasás.

–¿Te miran solamente o te dicen algo?

–Murmuran, no se les entiende, pero parece como si en cualquier momento te fueran a decir una guarangada o tocarte la cola.

–En Caballito también hay cartoneros.

–Por eso, pa. En todos lados es igual.

Habían llegado al edificio. Andrada entró el auto al garaje.

–Pa, ¿no me traés un pantalón seco? Cualquiera.

Andrada asintió. Seguía pensando que su hija lo abandonaba. Como había hecho Gonzalo cuando se fue a estudiar a Estados Unidos. Él había sido más sutil, había esperado a hacer el doctorado lejos de la presión paterna, que lo quería como heredero de la empresa familiar. Había sido lo suficientemente delicado como para dar a entender que después de doctorarse ocuparía parte de su tiempo en los negocios paternos. En cambio, Florencia siempre había marcado claramente las diferencias. Como cuando eligió estudiar Psicología. O ahora, que decidía irse a vivir sola cuando todavía no era más que una chica de veinte años.

–¿Quién te va a lavar la ropa? –le preguntó maliciosamente cuando detuvo el motor. Quería mostrarle que seguía siendo una nena.

–Ah, bueh, parecés mamá. Cuando era chica me decía siempre «vos, que no te lavás la bombacha y querés tal cosa». ¿Y sabés algo? Desde los doce años que me lavo mi ropa interior yo solita. Eso consiguió el estilo castrador de tu esposa.

–Está bien. Busquen un departamento. Voy a hablar con Miguens para ver si te consigue algún trabajo de pocas horas.

Se bajó del auto dejando a su hija sentada en el interior. «Yo también debería irme», pensó mientras subía por el ascensor.

4

–Atilio, ¿qué pasa con los cartoneros?

–Nada que yo sepa, don Julio. ¿Hicieron algo esos turros?

Atilio había llegado al edificio hacía siete años y nadie tenía quejas de él, lo que era mucho en un edificio donde los vecinos se sentían molestos por todo. Debía tener su edad, o tal vez fuera unos años más joven. Le habían dado la baja en la policía, pero mantenía el espíritu de la Fuerza. Estaba siempre atento y vigilante. A la menor sospecha, recurría a sus viejos compañeros. Con Andrada mantenía una actitud especialmente servil, que intentaba apenas disfrazar de cierta complicidad. Era como un rottweiler bien amaestrado que no hubiera dudado en matar para defender a su dueño, pero que le lamía la mano como cualquier perro domesticado.

–Ayer mi hija me dijo que la incomodan.

–Déjemelos a mí. A esos hijos de puta habría que sacarlos de acá. Todo el tiempo tengo que estar detrás de ellos para que no desparramen la basura en la vereda. A uno le tuve que meter una patada en el culo una vez. Conmigo saben que no pueden joder.

Andrada sabía que era así. Le daba tranquilidad que su edificio contara con alguien como Atilio. No era un mal tipo y le permitía salir de su casa sabiendo que su hija y su esposa siempre estaban bien protegidas por él. Además, podía dejarlo dentro de su casa arreglando lo que fuera con la seguridad de que no iba a tocar nada. Atilio se hubiera dejado cortar un brazo antes de tomar algo que no fuera suyo.

Se merecía el aumento de sueldo que iba a tener desde ese mes, aunque eso incrementara las expensas. Tal vez algún vecino pondría alguna objeción en la reunión de consorcio de ese día. Era lo habitual cada vez que había que pagar más.

Subió a su piso. Su esposa no estaba, seguramente había ido a casa de su hermano. ¿Cómo podía pasar tantas horas con su cuñada? ¿Nunca se le agotaba el tema de los hijos, o el de la ropa? No se las imaginaba hablando de otra cosa, ni siquiera de sus maridos. De él y del hermano de su esposa, ese hombre perfecto que hacía dinero, obras de bien y hasta soñaba con llegar a ser diputado. Ese reverendo hijo de puta que lo miraba con una sonrisa de desprecio desde hacía más de treinta años.

Se pegó una ducha y se cambió para ir a la reunión de consorcio. No eran encuentros multitudinarios. De las trece unidades sólo concurrían siete u ocho. Los seis vecinos que no faltaban nunca eran justamente los dueños de los semipisos del tercero y del cuarto, él y el vecino del quinto, que era también el administrador del edificio. Las reuniones se hacían en el living del quinto, acompañadas de un café lavado y tibio.

Tres de las siete unidades de los pisos inferiores estaban alquiladas, los dueños de una de ellas vivían en el extranjero y los inquilinos de las otras eran los que a veces asistían y a veces no a esas reuniones. Bajó el piso en ascensor y tocó timbre en el vestíbulo privado de su vecino, un odontólogo a punto de jubilarse. Cuando llegó ya estaban por comenzar la asamblea. Había más vecinos de lo habitual y Andrada imaginó por qué.

Se acomodó en uno de los sillones y, como en los cumpleaños de la adolescencia, los varones quedaron sentados de un lado y las mujeres del otro. Casi todos sus vecinos estaban en el edificio desde antes que él. Sin embargo, Andrada poseía la unidad mejor cotizada de las trece y eso le daba a la vista de sus vecinos un poder especial. Su mujer no llegaba a comprender por qué él, que se despreocupaba de todo lo que fuera la vida doméstica, en cambio concurría con asistencia perfecta a las reuniones de consorcio. Andrada disfrutaba de ese respeto que le tenían los vecinos. Le gustaba ver cómo médicos, ingenieros, directores de colegios, lo escuchaban con respeto, apoyaban sus propuestas y obedecían sus decisiones. Siempre pensaba que si hubieran visto la casa en la que se había criado ni siquiera le habrían dejado sentarse en ese sillón. Esta vez, mientras miraba el rostro de cada uno de ellos pensaba en Daiana, en sus piernas desnudas en el asiento del acompañante. Se veía a él mismo con su auto en el medio de la villa. Ninguno de esos rostros amables entendería absolutamente nada.

–Creo que podemos ver los detalles del aumento de Atilio –dijo su vecino del quinto mirándolo.

Hacía tres años que Andrada había despedido a los administradores del edificio porque les robaban. Qué mejor que uno de ellos para llevar los números. No le costó convencer al odontólogo para que hiciera el trabajo. Todos los vecinos estuvieron de acuerdo.

No hubo demasiados reparos al aumento. Enseguida pasaron a otro tema. Fue el propio Andrada el que lo propuso.

–Mi hija me dijo que los cartoneros que andan en la cuadra tienen una actitud agresiva. No de palabra, hasta ahora, ni de acción, pero sí con gestos o miradas.

–Son una lacra –dijo la vecina del 4.º A.

–Los que se quedan juntando en la esquina son siempre los mismos, pero es común que se agreguen otros a los que no se los vuelve a ver. Parece que usan nuestra cuadra como punto de reunión –dijo el odontólogo, que parecía haber estudiado el fenómeno.

–Son un peligro. Están vigilando todo el tiempo quién entra y quién sale. Si no tuviéramos portero ya nos habrían robado, como ocurrió en la veterinaria de la otra cuadra.

–Además dejan todo mugriento. Cuando se van, esta cuadra parece una villa.

–¿Pero qué podemos hacer? ¿Obligarlos a que se retiren de la cuadra? Me parece imposible.

–Hay que denunciarlos ante una fiscalía –propuso el del 4.º B.

–El merodeo ya no es un delito –aclaró la vecina del 1.º A, que era abogada.

–Yo ya no los soporto –confesó la vecina del 4.º A–. Me da vergüenza invitar gente y que vean a todos ésos en la entrada del edificio. Un día me va a agarrar la loca y los voy a sacar a tiros de acá.

–Habría que fotografiarlos y llevar las fotos a la comisaría para ver los antecedentes de cada uno.

–Por lo pronto, hablemos con Atilio para que averigüe si hay alguna forma de tener identificados a estos tipos.

A pesar de que a nadie le gustaba la presencia de los cartoneros en la puerta de su edificio, no insistieron en continuar con la cuestión, al menos esa noche. La mayoría estaba para discutir otra cuestión. Fue también el propio Andrada quien sacó el tema. Eso ocurría casi siempre. Se adelantaba al pedido de los demás. Más de uno lo miraba con admiración por estar tan atento a las necesidades y quejas de los otros propietarios. Era Atilio el que le pasaba la información. Lo mantenía al tanto de todo lo que ocurría en ese edificio. Era como una cámara de seguridad que le mostraba la vida de sus vecinos. Fue él quien le había dicho:

–Hay quejas por el 2.º C.

Primero había sido un comentario en voz baja, dicho al pasar en el hall de entrada o en un ascensor. El típico chusmerío de vecinos. La vecina del 2.º C se había mudado hacía un año. Alquilaba y eso la ubicaba en una categoría inferior con respecto a los otros. Era una joven atractiva que vestía bien y que se mostraba simpática con todos los vecinos. Andrada se enteró por Atilio, pero estaba casi seguro de que otros vecinos se enteraron por otra fuente. La chica del 2.º C era prostituta. No usaba el departamento para trabajar. Eso hubiera sido causa suficiente para expulsarla del edificio inmediatamente. Ejercía en algún otro lugar, pero esa chica que se cruzaba con ellos todos los días en el ascensor era una puta. Algunas vecinas, también algún varón, le habían cortado el saludo. Ella no se daba por enterada y manejaba esa situación con candidez. Seguía sonriendo a todos.

Nada podían hacer si trabajaba afuera, pero desde hacía unos meses los vecinos habían encontrado una razón más para ir contra la chica del 2.º C: gemía. Fue a comienzos del verano. Todos tenían aire acondicionado pero muchas veces dejaban sus ventanas abiertas y la vecina del 2.º C también. Se la escuchaba teniendo sexo en la madrugada. La primera vez pareció una situación aislada. Algún vecino sospechó que había sido más fruto de su imaginación que la realidad. Pero después esos gemidos volvieron a repetirse. Y otra vez, y otra vez más. Incluso una mañana temprano se sintieron gemidos. Más apagados, pero gemidos al fin.

Los vecinos se habían puesto en alerta. Permanecían en silencio para poder captar el momento en que la chica gemía. Nada demasiado aparatoso, no había gritos ni palabras agitadas, sólo un gemido suave, un canto profano que a los oídos de los vecinos sonaba como una canción pornográfica. Escuchaban y tomaban nota, y luego comparaban sus controles con los otros: fue a las tres y cinco, decía uno. Más bien, tres y diez, corregía otro. Yo escuché los primeros un poco después de las tres y siguió como hasta las tres y veinte.

Casi nadie la veía llegar a la noche, así que tampoco sabían quién era su compañero sexual. El matrimonio del 4.º B había visto llegar una vez a una pareja después de medianoche. Y esa madrugada hubo gemidos. Siempre eran los de ella. Habían aprendido a reconocerlos y los hubieran diferenciado de cualquier otro gemido que se escuchara. Lo increíble es que vecinos de las unidades A también decían haberla escuchado gemir, algo que resultaba bastante imposible dado que las ventanas daban a frentes distintos del edificio. Andrada nunca la había oído. Una noche de insomnio había ido a dormir a la habitación de Gonzalo, que daba al contrafrente, había levantado la ventana y se había quedado escuchando los ruidos. Sólo se oía cada tanto ruido de platos, restos de una conversación, pero ningún gemido.

–Ya es una asquerosidad que ande a los gritos –dijo la del 3.º B con vehemencia–. Pero a mí lo que más me preocupa es que siempre venga con un hombre distinto. O que la visite gente como ella. No sabemos qué tipos de fiesta organiza.

–¿Se oyen otros sonidos, además de los de ella? Quiero decir, música fuerte, risas estentóreas.

–Escucha música, pero no muy alto –reconoció la del 3.º B con cierta desilusión.

–Igualmente es un ataque a la seguridad del edificio que venga con cualquiera –dijo el hombre del 4.º A.

–Habría que crear un registro de visitas –dijo el odontólogo.

–Sí, no sólo por ella –dijo la del 4.º B–. Los de la planta baja, desde que se mudaron hace seis meses, viven trayendo gente.

–Son medio hippies –dijo la del 3.º B–. El problema son los dueños de ese departamento, que siempre se lo alquilan a cualquiera.

–Pero además del registro, alguien tiene que ponerle los puntos sobre las íes a ésa –la del 4.º B tardó en decir «ésa», estuvo tentada seguramente de llamarla «prostituta». A «puta» no se hubiera animado.

–Hagamos una nota por escrito para distribuir en todos los departamentos donde se deje constancia de que sus ruidos impúdicos resultan desagradables a sus vecinos. Que debe cesar en ese comportamiento teniendo en cuenta que éste es un edificio familiar, y que, si no, nos veremos en la obligación de tomar otro tipo de medidas.

–Está bien, ¿pero podemos tomar otro tipo de medidas?

–A esa prostituta –dijo la del 3.º B–, si no se va sola, yo la saco de acá. Les juro que la saco.

5

Se llamaba Luli. Eso dijo: «Me dicen Luli». La veía perfectamente. «Si hasta estuvo internada en el Penna», decía Luli de Daiana. Ocurría igual que aquella vez, sólo que en esta ocasión no acababa. Ella le robaba la billetera. Salía corriendo. Llovía. Otra diferencia: él se decía «esto es una pesadilla». Iba detrás de ella. La alcanzaba cuando se caía y recuperaba la billetera. Veía la cara de su hija que le sonreía desde la foto en que tenía quince, dieciséis años. También veía con claridad el rostro de la mujer que salía por una puerta debido a los gritos de Luli. Corría. Unos jóvenes le cerraban el paso. El más flaco tenía tatuajes en todo el cuerpo. Él doblaba sin detenerse. Se escondía detrás de unas casas y veía pasar a unos que lo seguían. De una casilla aparecía un tipo, lo veía en todos los detalles: su rostro transpirado y mal afeitado, su panza escapando de la camiseta, su voz diciendo «te voy a cagar a tiros». Pasaba por delante de una cruz. Leía nombres de chicos, jóvenes que habían muerto en la villa. Ahora sabía qué representaban esos nombres y esas fechas. Llegaba a su auto y alguien se lo quería robar. El chico tenía una cara agresiva. Lo habría matado si no se hubiera defendido. Se despertó cuando le destrozaba la cara con el extintor.

Lo primero que pensó cuando se dio cuenta de que estaba en su cama fue: «La bolsita». Desde el día que le había quitado la bolsa al chico muerto, no había vuelto a pensar en ella. Hacía tres semanas que estaba escondida en su escritorio, entre clips, gomas elásticas, tarjetas de gente que ya no recordaba. Nunca nadie tocaba ese cajón por inútil. Cada cosa permanecía igual durante años, hasta que él volvía a desordenarlo tirando en su interior otras tarjetas o, como en esta ocasión, una pequeña bolsita con algo que debía ser paco.

Fue hasta el escritorio y la buscó. Ahí estaba, como la había dejado tres semanas atrás, aunque entonces estaba húmeda por la lluvia. La sacó en penumbras y la abrió: la contempló como si estuviera ante una sustancia de otro planeta, criptonita o, lo que finalmente era, droga. Su experiencia en el tema era nula. Jamás había visto cocaína y no estaba seguro de reconocer el aroma de la marihuana. No sabía si eso que estaba ahí se aspiraba, se fumaba o se inyectaba. Lo que hubiera dentro de la bolsa se había destrozado y estaba mezclado: papelitos, yuyos, piedritas, polvo. Contempló todo a una distancia prudencial, sin animarse siquiera a apoyar un dedo sobre la mezcla. Volvió a poner la bolsa en el fondo del cajón. Lo lógico hubiera sido tirarla, pero decidió seguir guardándola.

Volvió a la cama e intentó conciliar el sueño. Vi sus caras, me vieron, se dijo antes de quedar dormido.

Cuando se despertó a la mañana lo primero que recordó fue lo que había dicho Luli de Daiana. Que había estado en el Hospital Penna.

Ya en la fábrica, llamó a Ernesto Arizmendi, un inspector de la Policía Federal que hacía también encargos particulares. Se lo había recomendado Atilio hacía un par de años y había hecho varios trabajos de averiguación para Andrada, siempre de corte profesional. Cuando estuvo a punto de comprar un frigorífico para entrar en el negocio de la carne, fue Arizmendi el que descubrió las oscuras ramificaciones de quienes estaban vendiéndoselo y que, además, iban a ser sus proveedores de vacunos. También lo había mantenido alejado de un corredor de bolsa cocainómano y astuto que había convencido a Miguens de invertir en acciones de empresas de Extremo Oriente.

Una vez estuvo a punto de llamar a Arizmendi para un trabajo personal. Florencia se había puesto de novia con un joven que a Andrada le había dado mala espina. Había algo en él que lo había vuelto una influencia negativa para Florencia, incluso peor que su amiga Carla. Si dudó en encargarle la investigación fue porque no le gustaba la idea de que Arizmendi se entrometiera en la vida de su hija. Cuando finalmente se decidió a hacer las averiguaciones, Florencia cortó con el chico. No fueron necesarios los servicios del policía.

Ahora, finalmente, lo llamaba por algo personal. Arizmendi apareció como siempre: pantalones marrones, campera corta al tono, una camisa de rayas gastada. Parecía más un obrero de la fábrica que un investigador. Era magro, con los huesos pegados a la piel. Fumaba muy lentamente, con chupadas profundas. Nunca se lo veía sin un cigarrillo en la mano o en la boca.

–Se llama Daiana. Debe tener alrededor de quince años. Estuvo internada en el Penna. No sé cuándo pero no creo que haya sido hace mucho. No más de dos años en todo caso.

–¿Familia, escuela, amigos?

–Vive por la Villa 21.

Andrada no dijo nada más y Arizmendi tampoco preguntó. La discreción también era una de sus virtudes.

Fue en esos días cuando Andrada empezó a sentir que el deseo sexual crecía en él hasta convertirse en una molestia. No había dejado de pensar en Daiana, pero iba más allá de ella. Como cuando había tenido sexo con Luli.

No podía volver a buscar prostitutas en la esquina de la villa. Tampoco era un deseo que su esposa pudiera satisfacer. No porque no tuvieran relaciones. De hecho, cada tanto (en fechas cada vez más distanciadas una de la otra, pero sin suspenderse nunca definitivamente), él y Elsa tenían sexo.

Fue encontrar la nota que él mismo había redactado en la reunión de consorcio y que ahora se había distribuido en todos los departamentos lo que le dio la idea. La nota en la que se le pedía mesura a la chica del 2.° C. La vecina prostituta. La que gemía en la madrugada. La que atendía a otros hombres como él en otro edificio.

Esta vez no necesitó recurrir a Arizmendi. Bastaba con preguntarle a Atilio. Si bien sabía que con eso iba a generar una complicidad especial con el portero, también estaba seguro de que Atilio sería discreto y nunca usaría esa información en su contra. Su fidelidad era indiscutible. Y, además, por otra parte lo tenía sin cuidado lo que podían opinar los vecinos. ¿Alguno de ellos se habría animado a decirle algo de frente?

–Necesito ponerme en contacto con la inquilina del 2.° C. No en el edificio, por supuesto.

Atilio se quedó mirándolo como un médico miraría a un paciente que lo consulta por un bulto en los testículos. Le pidió que lo esperase y fue a la portería. Un par de minutos más tarde volvió a aparecer con la misma seriedad y concentración. Traía un papel en el que había anotado el nombre de la chica, Martina, y un teléfono celular. Andrada se lo agradeció con media palabra. Ya se iba cuando Atilio le dijo:

–Don Julio, no se ofenda, pero mire que hay chicas mejores que Martina. Si quiere otros teléfonos, yo le consigo y no se va a arrepentir, le juro.

–Te agradezco, Atilio, pero no es necesario.

–Como usted diga. Ya sabe: nada peor que meterse con los vecinos, ¿vio?

Andrada se fue caminando hasta un bar y se pidió un café. Miró varias veces el papelito con el número. Lo que estuviera por hacer, lo debía hacer rápido. Llamó al celular y lo atendió una voz femenina que le costó relacionar con la mujer que se cruzaba cada tanto en el ascensor.

–¿Martina?

Su voz salió menos segura de lo que hubiera querido. Ella asintió también de manera titubeante y él le dijo que quería concertar un encuentro. Ella le dijo que podía pasar por su departamento. Tenía disponible una hora a las ocho de la noche. Él acepto y ella le dictó la dirección. Antes de despedirse, Martina le dijo:

–Vos sos del edificio de Charcas, ¿no?

No tenía sentido mentirle. Andrada le preguntó cómo se había dado cuenta.

–Sólo ahí conocen mi nombre verdadero.

El departamento profesional de Martina no quedaba lejos. Estaba ubicado en Talcahuano, a media cuadra de la avenida Santa Fe. Andrada no quiso sacar el auto por un camino tan corto. Tomó un taxi y llegó unos minutos temprano. Decidió ir a un bar que había en la esquina. Se pidió un whisky importado. No acostumbraba a tomar alcohol en los bares, pero necesitaba algo que lo equilibrara ante la agitación que sentía. Se recordaba a sí mismo en la reunión de consorcio, redactando la circular para amonestar a la vecina, y le daban ganas de reír. O se imaginaba una situación futura, el matrimonio del 4.° A bajando en el ascensor con él y que ella subiera y le diera un beso cariñoso en la mejilla. ¿Qué dirían? Nada. Mientras él mantuviera su lugar en el mundo, nadie se animaría a reprocharle nada de frente.

El edificio de la calle Talcahuano era extraño. Parecía más un hotel levemente lujoso de otra época, al estilo de las películas norteamericanas de los años cuarenta, pero venido a menos, destruido por el paso del tiempo y la desidia. La puerta principal permanecía abierta, como sólo ocurría donde había oficinas, aunque no parecía un lugar con dependencias comerciales.

Nadie le preguntó adónde iba, ni lo miró raro. Subió al ascensor con otras personas y no percibió ningún gesto cuando marcó el quinto piso.

La luz mortecina de los pasillos reforzaba la sensación de estar en un hotel venido a menos. El timbre sonó débil.

Abrió Martina. Le sonrió, lo hizo pasar y cerró la puerta tras ellos con la rapidez de quien ya ha hecho eso muchas veces. Era un departamento pequeño, bastante impersonal, que tenía un living más propio de un consultorio de médico que del hogar de una persona. El único toque personal de esa habitación era un incienso encendido que perfumaba el ambiente. ¿Qué le recordaba ese lugar? Se acordó de inmediato: unos diez años atrás había acompañado a su mujer al departamento de su depiladora. Él se quedó esperándola en una sala similar a donde estaba en ese momento, una combinación de intimidad y espacio aséptico.

Martina llevaba un vestido corto y escotado. Nunca la había visto así. Llevaba suelto el pelo, que caía por debajo de los hombros. Lo hizo sentar en un sillón y ella se sentó en otro. Tenía tacos altos y las uñas de los pies pintadas de morado.

–Decime, Julio, qué tipo de servicio querés –le dijo ella como si fuera una vendedora de prestaciones turísticas. En definitiva era eso lo que ella le ofrecía: un viaje por otra vida posible.

–El servicio tradicional está bien para mí.

Martina contuvo un gesto de desilusión. «El tradicional», dijo moviendo la cabeza afirmativamente. Ahora parecía una psicóloga tratando de interpretar lo que le había dicho su paciente.

–Son doscientos pesos la hora.

En ningún momento ella hizo referencia a que se conocían. Cualquier otra hubiera usado ese dato para agregarle un toque excitante al encuentro. Ella parecía preferir ignorarlo. ¿Por discreción? ¿Por miedo?

Le pagó. Diez veces más de lo que le había cobrado Daiana. Él podía pagar eso y más también. Pensó en darle más dinero, pero prefirió no hacerlo. Ella le ofreció tomar algo. Tenía whisky, cerveza, gaseosas. Le pidió un whisky. ¿Con hielo? Solo. Qué hombre, dijo. Andrada quiso sonreír. El whisky era nacional. Le resultó áspero. Bajaba por la garganta como soda cáustica. Pasaron al cuarto. El perfume del ambiente cambiaba. Ya no era el incienso sino un aroma más penetrante. Una combinación de flores y desinfectante. Había espejos en dos paredes y en el techo. Martina se quitó el vestido y quedó en ropa interior y tacos. Se acercó a él y le desabotonó la camisa. Lo besó debajo de las tetillas y Andrada sintió una erección que lo obligó a apurarse a quitar del medio el pantalón. Miró uno de los espejos y vio el culo de Martina apenas cubierto por una tanga negra. Era el culo de su vecina del 2.° C. La que gemía mientras cogía con tipos que se llevaba a su departamento. El culo que los demás vecinos mirarían enfundado en pantalones y polleras y desearían o envidiarían. Él podía hacer lo que quisiera con ese culo. Ella se sentó en la cama mientras él seguía de pie y lo empezó a chupar. Ahora se vio a él mismo en el espejo. Vio sus cien kilos, su vida sedentaria, su colesterol malo alto, la hipertensión controlada a fuerza de pastillas y comidas insulsas. Se sintió observado, ridículo, como un actor porno viejo que actuaba en una comedia. Ella le chupaba con pasión profesional. Él le acarició el pelo, menos una caricia que una comprobación de que ella era suave y cálida. Su vecina lo miró a los ojos. Se sacó el corpiño y llevó las manos de él a sus tetas. Andrada veía todo por los espejos. Seguía siendo un mal actor. Se acostó y ella lo siguió besando a lo largo de su cuerpo mientras él le metía la mano entre la tanga y el culo. Corrió la mano hacia delante. ¿Cómo hacía para estar húmeda? La penetró con los dedos y recordó cuando hizo lo mismo con Luli. Sintió que su erección era más fuerte. Fue sólo unos segundos. Los segundos en que ella empezó a gemir bajito. Nunca la había escuchado en su edificio, pero a él no le cabía la menor duda de que esos gemidos no eran los mismos que oían sus vecinos. Martina se estiró para alcanzar el sobre con el preservativo. Cuando volvió hacia él, su erección había caído. Ella no se dio por enterada y comenzó a pajearlo mientras lo besaba detrás de la oreja. Andrada se vio en el techo: su cabeza emergiendo debajo de un cuerpo de mujer. Era un cuerpo hermoso que cualquier hombre hubiera deseado tener encima de él. ¿Cómo sería el cuerpo de Luli? La recordó tirada en el suelo de la villa bajo la lluvia. Las piernas abiertas, su bombacha a la vista como un gesto desafiante. Sintió deseos de penetrar a Martina, a cualquier mujer, pero su pija no respondía, como si fuera un apéndice que no le pertenecía. No tenía sentido insistir. Con suavidad, tomó la mano de ella para que detuviera la masturbación. Ella se acostó a su lado y lo miró por el espejo.

–Estás tenso, ¿no?

–Puede ser.

Le ofreció otro whisky, que él acepto. Se lo tomó de dos tragos. Estaba mareado. Quería irse de ese lugar. Empezó a vestirse. Ella lo miró unos segundos y después lo imitó. Se puso el corpiño y el vestido encima.

–Julio.

Andrada se había sentado en la cama para ponerse los zapatos. La miró.

–En el edificio lo mejor es seguir tratándonos como hasta ahora.

–Por supuesto.

Ella le sonrió aliviada, casi feliz. Tal vez por eso se sintió en confianza para decirle:

–Jamás pensé que iba a tener de cliente al papá de Florencia.

Andrada tardó unos segundos en entender la frase.

–¿Vos conocés a mi hija?

–Claro, somos vecinas, ¿no?

Andrada tuvo ganas de golpearla. Pensó en hacerlo, pero no lo hizo. Simplemente le dijo:

–No, vos y mi hija no son vecinas.

7

Cuando salió había una multitud reunida sobre la calle Talcahuano. Un colectivo había rozado un auto y el automovilista había bajado para pelearse con el colectivero. Los demás vehículos tocaban bocina. A la distancia se escuchaba la sirena de una ambulancia. Andrada se alejó de ahí a paso vivo. Tomó por Charcas y decidió regresar a su hogar caminando. Estaba mareado por el whisky. Martina jamás debería haber nombrado a Florencia. Como si Luli se hubiera quedado con la billetera donde llevaba la foto de su hija. Eso no. No debía permitirlo. Algo tenía que hacer. Aunque su hija fuera a mudarse, seguiría yendo a visitarlos y él no iba a permitir que mantuviera ningún vínculo con Martina.

–Decime con quién hay que hablar y cuánto hay que pagarle.

Más de una vez había dicho esa frase que ahora se repitió como susurrando. Se la había dicho a su contador, a su abogado, al arquitecto, al ingeniero que trabajaba en la fábrica. Con quién hay que hablar y cuánta plata se necesitaba para hacer lo que él quería. No le iba a costar mucho desalojar a Martina del edificio. No descartaba que ella llegara a armar un escándalo contra él. ¿Pero quién creería a una prostituta? Y aunque le creyeran, nadie iba a decir nada, sólo un murmullo maldiciente de mujeres ofendidas y hombres que lo envidiarían. Aunque ella le gritara impotente. El bien mayor estaba por encima del mal menor. Su hija era más importante que los chismes del edificio.

Al llegar a Junín se sintió cansado y con la garganta seca. Caminó hasta Uriburu y entró al bar de la esquina. Se pidió un whisky doble, un White Horse. El lugar estaba lleno de jóvenes universitarios que tenían las mesas cubiertas de cuadernos y libros. Parecía el único tipo grande del lugar. Comió las papas fritas y el maní que venían con el whisky. Las voces de su alrededor le llegaban lejanas. Pagó y salió a la calle, pero el aire de la noche no lo despejaba. Al contrario, el ruido de los autos lo abotagaba más aún.

Quiso seguir pensando en lo que haría para desalojar a Martina, pero su cabeza no podía elaborar ninguna idea. Pasó por delante de una iglesia. Había gente saliendo. Tal vez de una misa, o de un casamiento. ¿Hacía cuánto que no entraba a una iglesia? Desde la comunión de Florencia, por lo menos. No volvería a entrar hasta que sus hijos se casaran o bautizaran a sus nietos. No le gustaba la religión. No era que no creyera en Dios. Simplemente, desconfiaba de él.

Los detectó antes de llegar a la cuadra de su edificio. Ahí estaban. Los cartoneros que revisaban la basura. Buscaban papeles, cartones, plásticos. Una vez había visto cómo comían los restos de una pizza que habían encontrado en una bolsa de basura. Hasta el momento en que su hija le había dicho algo de los cartoneros, él pensaba que esa gente ni los miraba. Que había como un pacto implícito: todos, los cartoneros y los vecinos, hacían como si los otros fueran invisibles. Él jamás hubiera podido describir concretamente a ninguno. Pero ellos habían roto el pacto. Se daba cuenta ahora cuando pasaban por delante de él. Buscó por primera vez la mirada de esa gente. Los miró con los ojos cargados de alcohol y desafío. Eran cinco. Dos mujeres y tres hombres. Uno tenía tatuajes en los brazos. En el izquierdo tenía el tatuaje de una espada rodeada por una víbora. Se acordó del muchacho que le había cerrado el paso en la villa. No podía recordar exactamente el tatuaje de sus brazos, pero sí el Cristo que tenía en el pecho. Tal vez fuera el mismo muchacho. Tal vez lo había reconocido, ahora que sus ojos se habían vuelto a encontrar.

Su mirada de desafío se convirtió en una mirada de miedo a pesar suyo. Aceleró el paso. Ese tipo u otro de los tres cartoneros lo llamó:

–Señor, señor.

Él no se dio vuelta. Quería caminar bien erguido, pero el whisky habían hecho su efecto. Otra voz también lo llamó:

–Míster, Míster.

Sintió unas risas que venían del grupo. En la puerta del edificio estaba Atilio. Debió haber visto su rostro descompuesto porque mirando hacia los cartoneros dijo:

–Ahí están. Esos negros de mierda. Habría que matarlos a todos.

8

Al día siguiente no fue a la fábrica. Uno de los pocos días que faltaba al año. Estaba con resaca y se sentía débil. A media mañana ya estaba mejor, para tranquilidad de su esposa que se ponía nerviosa e incómoda cada vez que él se quedaba en casa un día laborable. Andrada pensaba ir para la fábrica, pero lo llamó Arizmendi y prefirió citarlo en El Olmo.

Cuando llegó al bar, Arizmendi ya estaba ahí, leyendo las páginas de deportes de *Clarín*.

–¿De qué equipo es, Andrada?

–De Huracán.

–Uy, somos contrarios. Yo soy de San Lorenzo. Es que me crié en Castro Barros y San Juan. ¿Ubica, no? Así que usted es quemero, quién hubiera dicho. Lo hacía de Lanús, o de River.

–Yo soy quemero, usted es cuervo. Así que mejor hablemos de nuestro asunto.

Arizmendi cerró delicadamente el diario y sorbió su café con leche. Abrió un anotador que tenía sobre la mesa.

–Buenas noticias, Andrada. Daiana Pereyra, con *y* griega. Estuvo internada hace cinco meses en el Hospital Penna. Problemas pulmonares. Le dieron el alta a la semana. Consulté con un médico amigo y me dijo que su internación pudo ser por fumar esa mierda de paco, pero que también puede ser fruto de un problema genético. Igualmente, viendo algunas cosas, yo diría que es por el paco. Cuando la internaron, la que firmó todo el papeleo del hospital no fue ella porque es menor, tiene quince, ni tampoco los padres. Firmó una tía y dio como dirección un departamento que queda en Villa Lugano.

–Esa chica no vive en Villa Lugano.

–Exacto. Fui al departamento de la tía. No costó hacerla hablar cuando vio la placa de la Federal. La gente está asustada, Andrada. Antes uno le mostraba la placa de policía a alguien y le cerraban la puerta en la cara. Ahora, en cambio, son capaces de entregar a la madre. Me dijo que la chica vive con su progenitora y un montón de hermanos (primero dijo cuatro, después tres, después cinco) en la Villa 21, más exactamente en lo que se conoce como el barrio amarillo. Ésta fue la parte difícil del asunto. Usted sabe que en la villa las casas no tienen número, ni calles a veces tienen. Ahí se encuentra a alguien preguntando y cuando uno pregunta pone en alerta, así que no fue fácil ser discreto.

Arizmendi hizo una pausa para tomar el café. Miró el paquete de cigarrillos que tenía delante. Se veía que tenía ganas de fumar.

–Fue difícil, pero ubiqué el lugar. Aramos, dijo el mosquito. Unos colegas que están en la zona hicieron la investigación, nobleza obliga. La chica anda con unos vagos de la villa de día, y de noche putañea por Amancio Alcorta. En algún momento pensé en sacarle una foto, pero pienso que usted no necesita una foto de ella, ¿no? Sea como sea, la tenemos ubicada a ella, a sus hermanos y a la madre. La vieja es una mala mujer, ¿pero qué quiere, en ese lugar? Ahí no hay madres teresas.

–Muy bien, Arizmendi, gracias.

–¿Cómo quiere que sigamos?

–Lo llamo y le digo.

–Andrada, usted me conoce. No soy de dar consejos. No sé qué relación tiene con esta chica. Es una prostituta, pero es menor. Y le da al paco, seguramente. Y esa villa es jodida en serio. Muchas cosas malas juntas hacen siempre un problema mayor. Yo le recomiendo que no se meta en problemas.

–Gracias, Arizmendi, le agradezco su preocupación.

Andrada ya había tomado una decisión pero tardó dos días en hacérsela saber a su investigador. No fue porque dudase sino que le producía cierto vértigo la idea de que ese futuro imaginado hasta en los más mínimos detalles comenzara a convertirse en presente. Llamó a Arizmendi un viernes a la noche. Andrada había pensado en todo y no iba a dar un paso atrás.

–Haga una cosa, Arizmendi. Mañana a la mañana, busque a la chica y dígale que va de parte del hombre que estuvo con ella hace un mes y que le pagó cien pesos. Dígale que ese hombre quiere verla. Convénzala de buena manera, dele otros cien pesos si es necesario. Llévela a la fábrica. Yo voy a estar ahí, esperándolos.

Tercera parte
La fábrica

1

Había planificado todo. Los fines de semana no quedaba nadie en la fábrica, salvo el sereno, al que le pagó un viaje para visitar a sus nietos en Junín. Hizo algunas compras de alimentos en el supermercado chino, en la panadería, en la heladería. En la fábrica tenían dos heladeras. Una que usaban los empleados, y otra más moderna y con freezer que era de uso restringido a él y al personal jerárquico. A las nueve de la mañana ya estaba en su oficina, pero su celular sonó recién a las 10.40.

–Andrada, todo bien, estamos en camino para allá.

No eran las once cuando vio por el monitor del escritorio de su secretaria que el auto de Arizmendi entraba al estacionamiento. Bajó él solo, aunque se veía que había alguien del lado del acompañante. Subió al primer piso, donde lo esperaba Andrada.

–La chica está abajo –dijo escuetamente.

–Perfecto, Arizmendi, le agradezco.

–No es un trabajo fácil.

–Por el pago, no se preocupe.

–No se lo digo por eso. Es por usted –señaló el monitor de vigilancia, desde donde se veía el estacionamiento–. Si mira por ese televisor, ¿qué ve usted? A una chica. Pero no es una chica. Es un problema. Anda con otros pendejos que a su vez trabajan para otros tipos que están en la falopa. Si yo averiguo por la chica y la saco de la villa, los pendejos se enteran y los tipos también y ya ahí la cosa se pone peliaguda porque no les gusta que le toquen el culo ni que le saquen a una de sus minas. No se jode con los narcos ni con los pendejos que andan alrededor de ellos. Ojo, tampoco se jode con la cana. A mí no se van a animar a hacerme nada. No son boludos. Por eso, el que me preocupa es usted.

–No voy a hacer nada para inquietarse. Vaya tranquilo y vuelva mañana a las ocho de la noche.

Arizmendi chupó bien profundo su cigarrillo y buscó inútilmente un cenicero. Andrada no le ofreció ninguno. El policía fue hasta el auto y le abrió la puerta del acompañante a Daiana. La chica se bajó y Andrada sintió que el corazón se le aceleraba. Le divertía darse cuenta de que se comportaba como un adolescente enamorado. Arizmendi le dijo algo y ella miró hacia arriba, hacia la cámara de seguridad. Sonrió y lo saludó ampulosamente con la mano. Parecía la estrella de un programa adolescente descubierta por la cámara de un admirador al que ella le regalaba una sonrisa agradecida. Llevaba unos shorts turquesa, unas calzas negras debajo, una remera también negra ajustada al cuerpo y unas zapatillas blancas.

Daiana subió y Andrada se sintió excitado ante ese cuerpo que avanzaba graciosamente hacia él. Ella le dio un sonoro beso en la mejilla.

—Sabía que eras vos —le dijo, y se sentó en el medio del sillón de tres cuerpos como si hubiera estado ahí otras veces.

Había detalles que no recordaba de la primera vez que habían estado juntos. Por ejemplo, la voz era más grave de lo que se imaginaba. Y su boca tenía una forma llamativa. Labios gruesos y sensuales. En cambio, las piernas largas y las tetas pequeñas eran tal como las había tenido en la mente todo ese mes.

—El tipo que te fue a buscar, ¿te trató bien?

—Sí.

—¿Qué te dijo?

—Me dijo que alguien que me conocía quería estar conmigo. Me dio veinte pesos y me dijo que iba a haber más si me portaba bien.

A Andrada le causó gracia el esfuerzo ahorrativo de Arizmendi.

—¿Y te vas a portar bien?

—Muy bien —dijo tratando de ser sensual, sin darse cuenta de que le bastaba comportarse como era habitualmente para calentarlo.

Andrada buscó la billetera, la misma que le había intentado robar Luli y sacó un billete de cien pesos. Ella miró primero por un segundo el billete en la mano de Andrada y sus ojos reflejaron un deseo verdadero. Tomó el billete y lo guardó en su short. Le hizo un gesto para que Andrada se le sentara al lado. Le besó el cuello y le empezó a desabrochar la camisa de la misma manera que había hecho Martina, salvo que esa vez él estaba de pie. Pero Andrada quería

109

sentir esos labios en su boca. Le levantó la cabeza y la besó. Ella ponía energía en el beso. Se había subido a horcajadas de él y le removía el pelo a la vez que se frotaba contra él y se besaban. Él le acarició la espalda y el culo. Le sacó la remera y el corpiño. Ella se dejó hacer. Siguió despeinándolo mientras él le besaba las tetas.

Daiana se sentó de nuevo al lado y Andrada aprovechó para sacarse el pantalón. Apareció su pija erecta por la bragueta del calzoncillo. Ella la chupó y en un momento se detuvo y le dijo:

–¿Me vas a acabar en la boca o querés otra cosa?

–Otra cosa –dijo él.

–¿Tenés forrito?

Andrada tenía unos preservativos en el auto. Podía ir a buscarlos, pero tenía que dar ese paso adelante.

–No tengo.

A ella pareció no importarle. Se puso de pie y se quitó las zapatillas, el short, las calzas y la bombacha. Quedó totalmente desnuda frente a él. Tenía un cuerpo magro y huesudo. Se volvió a subir encima, ella misma se penetró y comenzó a cabalgarlo. Andrada acabó rápido y ella lo abrazó. No olía a perfume como Martina sino que tenía el olor de un cuerpo transpirado. Él se quedó metido entre el pelo y el cuello de ella, oliéndola.

2

Andrada había ido hasta la cocina para buscar algo de tomar. Mejor que ella eligiera su bebida. La llamó y apareció enseguida. Se había puesto la bombacha y la remera.

–Agarrá lo que quieras. Y en las alacenas hay también galletitas y pan.

–¿Hay Coca fría?

Andrada le dio una botella de 600 cc. Él tomó una lata de Heineken. Se sentaron frente a la mesa de la cocina. Él preguntaba, ella respondía. La seguridad que Daiana mostraba desde que llegó se iba perdiendo a medida que Andrada la interrogaba. Cada vez respondía de manera más breve. Andrada se dio cuenta pero no podía evitarlo: quería saber sobre Daiana. Quería saber qué se escondía en esa chica. Ella se fastidiaba ante cada nueva pregunta. La amante se convertía en una hija que no quería hablar de su vida, y él en un progenitor preocupado. ¿Tu madre qué hace? ¿Estudiás? ¿Vas a retomar? ¿Tus hermanos? ¿Y tu padre? No se animó, en cambio, a preguntarle desde cuándo se prostituía.

–¿Fumás paco?

Lo preguntó cuando ella ya contestaba con monosílabos. Daiana lo miró entre enojada y asustada.

–¡No!

–Me lo dijo una amiga tuya.

–La puta de Luli.

¿Cómo sabía ella que había estado con Luli? Prefirió no desviarse del tema, pero después averiguaría si estaba al tanto de lo ocurrido aquella noche.

–¿Y no es verdad?

–Ya te dije: ¡no!

–Estuviste internada.

–Uff..., sí.

–¿Por el paco?

–Fumé una vez.

–Entonces fumaste.

–Bueno, me voy.

Ella se puso de pie. Le había quitado la mirada, que deambulaba por el suelo. La mente de Daiana se alejaba de la fábrica como un fantasma que huye. Andrada no quería que ella decidiera irse. Le pidió disculpas y le prometió que no iba a hacer más preguntas. Que si se quedaba con él el fin de semana, le daría trescientos pesos. ¿Todo el fin de semana? Todo. Sus ojos volvieron a la fábrica. Lo miró aún seria y le dijo:

–Bueno, me quedo.

Se levantó y se fue hacia el despacho. Andrada se quedó en la cocina unos minutos más, tomando su cerveza y tratando de calmarse. No entendía bien qué le pasaba. Estaba enojado con él mismo por las preguntas y molesto con ella por las respuestas. Había sentido por un segundo un temor nuevo: el de perderla. Si ella hubiera insistido en marcharse, él habría pagado mucho más para que se quedara. Fue hasta el baño y se lavó la cara. Se miró en el espejo. Volvió a encontrar al mismo tipo que se había acostado con Martina. Se miró un largo rato, tratando de averiguar en los pliegues de su cara el sentido de lo que estaba haciendo. Fue el único momento en que dudó. Sus arrugas, su piel avejentada, le decían algo que no quiso o no pudo interpretar. Cuando salió del baño, ya se había olvidado de su rostro.

3

Daiana miraba por los ventanales de su oficina. Le preguntó si todo lo que se veía ahí era de él. Le dijo que sí. La llevó a recorrer el lugar. Fueron por las oficinas. Ella miraba las computadoras, los monitores planos, los escritorios de haya, los sillones ergonómicos, los estantes ordenados. Después la llevó a los talleres. Como un chico, Daiana se subió arriba de unos tubos e intentó hacer equilibrio. Pasaba sus manos por las maquinarias como no lo había hecho con el cuero de los sillones, o la madera noble de los escritorios. La pregunta que le hizo lo sorprendió:

–¿Alguna vez trajiste a otra chica acá?

–No.

–O sea que nunca hiciste el amor arriba de esa grúa –dijo señalando un pequeño brazo que usaban para mover los materiales pesados. Sin esperar respuesta, fue y se sentó en la cabina.

–Vení conmigo –abrió las piernas y lo esperó.

–No entramos los dos. Yo no puedo entrar ni solo.

–Vení igual.

Andrada se acercó y le acarició las piernas, que quedaban a la altura de sus hombros. Ella le tomó la cabeza y la apretó contra su cuerpo. Había algo de maternal en ese gesto de ella, de empujarlo hacia su sexo, como una búsqueda de protegerlo más que de excitarlo o excitarse. Andrada volvió a oler el cuerpo de Daiana, lo reconoció como un territorio querido: tranquilizador y provocativo a la vez. Corrió el borde de la ropa interior –lo único, además de la remera que ella llevaba puesto– y continuó con su boca lo que había comenzado con las manos hasta que ella acabó o fingió hacerlo. Sus gritos inundaron el taller. Un ruido virgen en la fábrica.

Pero no. No le había dicho la verdad completamente. Alguna vez había besado a alguien en ese taller. Era cierto que no la había traído, porque ella trabajaba ahí. Había sido muchísimo tiempo atrás, y no había vuelto a pensar en ella en todos estos años. Diez años. No, mucho más. Florencia todavía iba al jardín de infantes. Se llamaba Elvira y trabajaba en el área de limpieza. Entraba a la hora en que la mayoría de los obreros se iban y muchas veces se quedaban los dos solos. Él nunca terminaba temprano con todo lo que tenía para hacer. Elvira trabajaba en los talleres, en las oficinas, la oía cómo se acercaba casi con timidez hacia su despacho. Él era joven todavía, o al menos ahora se recordaba con un espíritu juvenil, desafiante. Ella debía de tener veintipico años y el mismo desafío que él en los ojos. Eso le gustaba y lo intrigaba porque ella

114

–que se movía con sigilo por toda la fábrica– entraba a su despacho imponiendo su presencia, buscándole los ojos y lo regañaba porque seguía todavía entre los papeles.

–Usted tiene que ir a su casa y yo terminar con la limpieza –le decía y se quedaba mirándolo un segundo antes de seguir con su trabajo. Él le miraba el culo, las piernas, las tetas que apenas se insinuaban en su uniforme para nada sensual. Y sin embargo, lo calentaba.

La había besado por primera vez en ese mismo taller donde estaban ahora Daiana y él. No había querido hacerlo en su oficina, tal vez porque le resultaba demasiado íntimo con sus fotos familiares, sus recuerdos de vacaciones encima del escritorio o en las paredes. Había ido a su búsqueda cuando sintió que estaba en el área de corte. Ella no se sorprendió, sabía a qué venía él. Se besaron y Andrada pudo meter sus manos entre la ropa de ella. Pero Elvira (Elvira Damonte, ahora se acordaba de su apellido) no había dejado que le hiciera nada más. Nunca dejó que en la fábrica él le hiciera algo más que besarla o acariciarla furtivamente. Cuando la convenció de tener sexo, tuvo que llevarla a Sirocco, el albergue transitorio que había cerca de las vías del ferrocarril Roca, entre las estaciones de Gerli y Lanús.

Qué casualidad. Elvira también vivía en una villa, pero cerca de la fábrica. En Villa Caraza, y no era una villa miseria, al menos no lo era donde quedaba la casa que Elvira compartía con sus padres. Él la llevaba hasta ahí y nunca se le ocurrió pensar que estaba entrando en una villa. Ahora no se animaría ni a acercarse.

Fueron amantes durante meses y ese tiempo que ahora le resultaba borroso terminó de la peor manera. Elvira Damonte no se conformaba con ser la amante con la que se acostaba dos veces a la semana. Quería más. Había empezado con pequeños berrinches, enojos, reclamos. Ya debía haber gente en la fábrica que sabía que eran amantes. Él, igualmente, podía imaginar los comentarios irónicos de los obreros, las amonestaciones escandalizadas de las empleadas administrativas.

Un día ella le dijo que estaba embarazada de él. Lloraba todo el tiempo, le reprochaba que no dejara a su mujer, que fuera cobarde. Lo amenazó con contarle a todo el mundo que el hijo que llevaba en sus entrañas era también suyo. Había conseguido el teléfono particular y lo llamaba a cualquier hora. Un día, Elvira se apareció en su casa. Fue en un horario en el que sabía que él no estaba. Habló con Elsa, buscó su solidaridad, como mujer, como madre. Buscó enojarla con él. Hacer estallar su matrimonio como fuera.

A Andrada los detalles se le escapaban y lo avergonzaban. Porque Elsa lo llamó a la fábrica y simplemente le dijo:

–Elvira estuvo acá.

Andrada por poco se accidenta en el trayecto de la fábrica a su departamento. Jamás se había sentido tan vacío, tan cercano a la muerte como en ese viaje. Se imaginaba a Elsa llorando, furiosa, abandonándolo con sus hijos, a los que no podría mirar nunca más a los ojos.

Pero Elsa estaba impasible. Sus primeras palabras fueron las más duras, las dijo sílaba por sílaba:

—Sos un idiota.

Después siguió hablando en un tono duro, pero muy pronto Andrada se dio cuenta de que ella no lo iba a dejar. No sólo eso: Elsa había decidido hacerse cargo de la situación. Daba por hecho que su marido no iba a volver a ver a esa chica. No necesitó amenazarlo ni ser explícita para que él entendiera lo que podía ocurrir si él no le hacía caso.

Elsa sí volvió a ver a Elvira. Le consiguió una clínica donde abortar y le dio dinero suficiente para que dejara la fábrica y a su marido. Para que desapareciera de sus vidas.

Andrada había vuelto a su rutina laboral. Había una empleada de la limpieza nueva. Nadie en la fábrica preguntó por Elvira, ni siquiera la empleada que se ocupaba de los sueldos, que dio de baja la ficha de Elvira e incorporó a la empleada nueva, también joven, pero gris, desabrida, que esperaba a que él se fuera para entrar en su despacho.

Ni Andrada ni su esposa hicieron nunca más referencia a la mujer que había llegado a su hogar, llorando y embarazada. El temor original de Andrada se había convertido en tranquilidad para luego mutar en un enojo creciente hacia Elsa. Su esposa había hecho todo para demostrar cómo era ella la que manejaba sus vidas. Que nada se podía hacer sin su control. Que ella era, en definitiva, la que gobernaba esa familia que habían constituido unos pocos años antes. Andrada nunca le había perdonado a Elsa esa demostración de poder, pero el olvido que él mismo alimentó de esa situación había hecho que esa furia sólo permaneciera en un lugar muy escondido de su alma.

4

Daiana y Andrada continuaron con su recorrido y llegaron al comedor de los obreros. Ella pegó un gritito de felicidad: había un televisor. El primer aparato lo habían comprado para que los trabajadores de la fábrica pudieran ver los partidos de fútbol del mundial noventa y cuatro. A partir de entonces se había convertido en tradición que los encuentros importantes, los mundiales de fútbol y de básquet, las instancias finales de los Juegos Olímpicos, fueran vistos en el comedor.

–¿Podemos prenderlo? –preguntó Daiana con una ilusión que no había mostrado hasta ese momento.

A él le daba lo mismo. Sólo que ahí no había sillones cómodos como en su oficina. Acomodaron unas sillas para sentarse y apoyar encima los pies. Él le explicó cómo manejar el control remoto. Ella empezó a pasar los canales, uno tras otro, apenas deteniéndose unos segundos. Le divertía más cambiar que ver. Los canales con películas subtituladas los pasaba más rápido que los demás. Hasta que encontró una película vieja doblada que le llamó la atención: era de una chica que iba de vacaciones con su familia y conocía a un muchacho que le enseñaba a bailar de manera sensual. Andrada creía recordar haberla visto muchos años atrás. Se llamaba *Baile caliente* o algo así. Tocó el botón de info del control remoto y apareció el nombre en inglés: *Dirty Dancing*. Ella le tomó la mano para que no cambiara. Él soltó el control y se quedaron tomados de la mano viendo la película. Cuando una hora y pico después terminó, ella le dijo:

—Me gustaría ser bailarina.

—Yo puedo pagarte los estudios de lo que quieras.

Daiana lo miró a los ojos para ver si se estaba burlando de ella. No se animó a decirle nada. Debía preferir quedarse con la duda, o soñar que sí, que él podía pagarle sus estudios de danza y después conseguirle un lugar en la televisión, en las películas, en un mundo donde ella podía ser una estrella que brillaba para él, para todos.

Volvieron a la cocina porque tenían hambre. Andrada sacó fiambres y pan y preparó unos sándwiches, que Daiana insistió en comer viendo televisión. Llevaron la comida y las bebidas para allá.

Ahora ella eligió un programa que pasaba música de bailanta, donde una pareja de conductores presentaba bandas de cumbia con nombres absurdos como Amar Azul, La Banda de Pepe o 18 kilates. Todas tenían una cantidad incontable de integrantes que se movían con el mismo pasito sin gracia y que cantaban canciones que se parecían entre sí como si fuera un loop repetido al infinito del mismo tema. La cámara de televisión intercalaba los planos de esos cantantes con aspecto de mafiosos de baja monta con imágenes de chicas en minifalda que bailaban al compás de la música con una sonrisa hueca. Aunque su cara apenas se veía porque la cámara reptaba y prefería enfocarles el culo.

–¿Así te gustaría bailar?

Ella notó una trampa en la pregunta. Sólo le contestó.

–Bailar como sea.

5

Volvieron a tener sexo en el sillón de la oficina. Tampoco esta vez él usó preservativo. Se sentía tan cómodo dentro de ella como no recordaba haberlo estado alguna vez en su vida. Se quedó ahí, quieto, mientras seguía acariciando con una mano las tetas de Daiana.

Cuando se hizo de noche, Andrada le dijo que él no se iba a quedar a pasar la noche con ella. No le dio ninguna explicación. No le contó que los sábados a la noche era una de las pocas veces a la semana que comían con Florencia. Iban siempre a cenar a algún restaurante. Andrada no se había animado a inventar ninguna excusa para suspender la cena. Todo lo natural que resultaba que él no estuviera en la casa en todo el fin de semana –por negocios, porque se iba a cazar o a pescar con amigos, por hastío o lo que fuera– se venía abajo si suspendía el rito familiar que se había convertido en tal cuando Florencia había comenzado la facultad.

Le explicó cómo usar la cocina y le mostró el freezer lleno de salchichas, hamburguesas, papas congeladas, milanesas de pollo. Que se preparase lo que tuviera ganas de comer.

El sillón de tres cuerpos era lo suficientemente cómodo como para que ella durmiera ahí. Le dio una frazada por si tenía frío y le buscó un almohadón que hiciera las veces de almohada. Ella parecía contenta con la idea de quedarse sola en ese lugar. Cualquier chica se hubiera estremecido ante la idea de pasar la noche en una fábrica solitaria. Pero Daiana no había visto películas de terror, o tal vez su vida era mucho más terrorífica que enfrentarse a los fantasmas de esos espacios silenciosos.

Andrada no le dejó escrito su celular, no había razón para que ella lo llamara. Se fue de la fábrica cerrando la puerta con llave. Si Daiana se hubiera querido ir de ahí, no habría podido. Si se hubiera incendiado la fábrica, ella seguramente habría muerto quemada. Pero la fábrica no se iba a incendiar, ni ella tendría necesidad de irse. En cambio, Andrada tenía el temor de que ella lo dejara. Que lo cambiara equivocadamente por esos monitores que había mirado con deseo, o por cualquier otra cosa que ella pudiera vender por dos pesos en la villa. Le iba a costar un tiempo explicarle que a su lado iba a tener mucho más de lo que necesitaba o de lo que pudiera llegar a obtener si le robaba. Para evitar situaciones molestas, lo mejor era dejarla encerrada. Arrancó el auto y salió. Se detuvo en la calle a los pocos metros y miró hacia su fábrica. Le pareció que ése era su hogar, su lugar de pertenencia.

6

Su hija estaba exultante, conversadora, divertida. Todo porque junto a su amiga habían encontrado el departamento que querían alquilar. Le había tomado unas fotos cuando lo fueron a ver y ahora se las mostraba desde la pantalla posterior de la cámara, antes de que llegara el primer plato en ese restaurante de Bonpland y Honduras. Su esposa había tomado la cámara y pasaba las fotos mientras los dos escuchaban las explicaciones de Florencia. Era un tres ambientes sobre la calle Rosario, con vista al Parque Rivadavia. Ya habían pagado una seña. Carla había conseguido la garantía y en una semana a más tardar se lo entregaban. Tenían que comprar algunos muebles, una heladera. Cada una se llevaba su propio televisor.

–Parecemos un matrimonio. La verdad es que nos tendríamos que casar para que los parientes nos regalen cosas.

Había que arreglar solamente un problema con los radiadores de la calefacción. Le preguntó a su padre si podía mandarle a alguien para que lo solucionara. También contó que había ido a ver a Miguens y que el contador le había conseguido un trabajo de medio tiempo en un estudio de arquitectura. Que empezaba el lunes. Ella no sabía que su padre era dueño en parte de ese estudio. También les contó que Miguens la había llenado de piropos y que había faltado un poco así para que la invitara a salir. A Andrada no le gustó nada que su contador se tomara esas libertades con su hija. El lunes, pensó, iba a hablar con él. En cambio a su hija le dijo:

–Miguens debería preocuparse de que yo no siga perdiendo plata. En cualquier momento está trabajando de empleado público en la municipalidad.

Florencia no le prestó atención y siguió locuaz hablando de su futuro hogar. Le pidió a su madre que la acompañara el lunes por la tarde de compras a Morph.

Florencia estaba tan apabullante y exigía tanta atención que consiguió que Andrada por más de dos horas no pensara en Daiana. Sólo hacia el final de la cena, mientras esperaban los postres y él saboreaba la última copa de vino y Florencia parecía más tranquila, se cruzó por su mente la imagen de Daiana sola en la fábrica. Estaría viendo la tele, comiendo helado, revolviendo cajones y armarios, paseándose semidesnuda por las oficinas, mirando con la cara apoyada en el vidrio los talleres donde a diario trabajaban una veintena de operarios.

¿Cómo conciliar esa cena familiar con Daiana? No aceptaba pensar que llevaba una doble vida. Eso le parecía tan ridículo como cobarde. Su mujer, su hija y Daiana formaban parte de su mismo universo. Él lo veía ahora claro y no le importaba lo que pensaran los demás. Él podía hacer convivir esa escena familiar con su boca besando el sexo de la chica sobre una grúa. Los espacios de su vida se iban ocupando y vaciando. Su hija pensaba en mudarse, dejaba un espacio vacío como ya lo había hecho hacía rato su esposa. Y Daiana venía a ocupar cada espacio abandonado por los demás. Ella iba colmando su vida a una velocidad increíble.

Cuando estaban en los postres, apareció Carla. Venía a buscar a Florencia para ir a una fiesta. Se sentó entre él y su hija, pero no quiso pedir nada, ni siquiera una bebida. Había algo que le molestaba sobremanera a Andrada y era que Carla se comportaba en cualquier lugar como si fuera dueña de todo. El mundo le pertenecía. ¿Pero su hija no era también así? ¿No se había criado como si fuera la propietaria del universo? Él, en cambio, tenía que hacer grandes esfuerzos para no sentir que estaba inmerecidamente en el lugar, una especie de intruso. Siempre dejaba buenas propinas, pero ese gesto de generosidad tenía que ver con su miedo a ser descubierto, a que alguien pensara que él no

124

debía estar ahí. Y sin embargo podía, contaba con dinero suficiente para estar donde él quisiera.

Incluso en la casa de Andrada, Carla se comportaba como la dueña del lugar. Nunca le había gustado que la amiga de su hija se quedara a dormir. Le molestaba cruzársela a la mañana en el comedor o en la cocina preparándose un jugo (en una juguera que nadie usaba, salvo ella). Le parecía una falta de respeto que anduviera con esas remeras largas que hacían las veces de camisón, que le marcaban las tetas sin corpiño o dejaban al aire sus muslos más de lo debido. No soportaba que se riera tan alto como para que la propia Florencia le pidiera que lo hiciera más bajo. Más de una vez, Andrada había notado que ella lo miraba irónicamente. ¿Harían chistes sobre él con su hija? Lo observaba como si ella supiera algo sobre él que los demás ignoraban. Todo mentira. Toda una puesta en escena de esa chica que no sabía nada de él, ni era dueña del mundo, ni siquiera era una buena amiga para su hija.

Carla elogió la ropa de Elsa y también unos aros que llevaba Florencia. Su hija se los tocó, satisfecha de que le gustaran, y le dijo:

–Son iguales a unos que tiene Martina, mi vecina. Ella me dijo dónde comprarlos.

Andrada sintió un golpe en la cara.

–¿Vos te juntás con esa persona?

Había usado un tono duro, lo suficiente como para que Carla lo mirase con cierto desprecio.

–Pa, no vas a salir con que es una prostituta. En

todo caso cada uno se gana la vida como quiere o como puede.

—Mejor eso que ser una mantenida —dijo Carla sin que nadie le pidiera su opinión—: Además, bien que todos los hombres del edificio la miran con ganas. Yo los vi.

—Martina —dijo su hija— es una buena mina. Y se viste bárbaro.

—A mí me dan asco sus clientes. —Carla tomó un petit four de uno de los platitos—. Señores burgueses que los domingos van a misa.

Andrada estuvo tentado de contestarle a esa chica lo que se merecía. Se contuvo unos segundos, los suficientes como para que su esposa cambiara de tema y le preguntara a Carla por sus padres. Sin embargo, Andrada se quedó pensando más allá de los comentarios provocadores y estúpidos de Carla. Su hija, amiga de una prostituta. Amiga de la puta del edificio.

Carla y Florencia se fueron a su fiesta. Andrada se quedó con su mujer tomando el café. Luego pagó la cuenta. Volvieron en silencio. Él decidió ir a dormir a la habitación de Gonzalo, cosa que hacía cada tanto y que a su esposa ya no le resultaba extraño.

7

Andrada amaneció temprano, aunque no tanto como los días de semana. Se dio una ducha rápida (jamás tardaba demasiado bajo el agua, un gesto que le había quedado de la época en que no había agua caliente en su vida o, tal vez, de los meses que había pasado como soldado conscripto). Preparaba el café cuando se levantó Elsa. Desayunaron juntos y él pretextó una jornada de pesca con un empresario conocido. Salió a las nueve de la mañana. Tomó el camino que ahora se había vuelto habitual: por la calle Boedo. Antes de llegar a San Juan vio una panadería. Se detuvo. Compró una docena de facturas (churros rellenos, cañoncitos, bolas de fraile, todo lo que tuviera dulce de leche, porque pensaba que a Daiana le gustarían) y otra docena de sándwiches de miga. Antes de las nueve y media estacionó su auto en la fábrica.

Abrió la puerta que había dejado con llave. Adentro no se oía ningún ruido. Fue sigilosamente hasta la oficina, pero no encontró ahí a Daiana. Tampoco vio los almohadones del sillón. Fue hacia el comedor de los obreros: ahí estaba, dormida en el piso arriba de los almohadones y con el televisor encendido sin volumen. Estaba abrazada a la frazada que él le había dejado, pero destapada. Se veía hermosa con la espalda desnuda, la bombacha levemente corrida y las piernas un poco flexionadas. Se quedó mirándola. Daiana respiraba suavemente. Andrada no era adepto a la literatura, no había leído nunca un libro, pero recordaba cómo lo había perturbado una historia que había tenido que leer en la escuela en séptimo grado. Era la historia de un chino que soñaba que era una mariposa y que al despertar no sabía si era él o una mariposa que soñaba con ser una persona. Ver a Daiana dormida le recordó esa historia. Se imaginó que nada de eso era real. Que él soñaba y que había soñado todo lo ocurrido desde la primera noche, cuando Daiana se acercó a su auto y le sonrió y él la hizo subir (podía recordar cada segundo de esa noche con tanto detalle). Estaba soñando: en cualquier momento se despertaría, se bañaría, desayunaría con su esposa e iría a la fábrica por la avenida Amancio Alcorta, como lo había hecho todos esos años.

Se acercó a Daiana. Miró su espalda, el culo, las plantas ásperas de los pies. Soñaba. Ese cuerpo no podía estar ahí, no podía pertenecerle. Pasó su mano por la espalda de Daiana. Se equivocaba: estaba despierto. No se puede acariciar un sueño y él estaba acariciando la espalda de la chica. Le tocó el pelo, se lo apartó de la cara y Daiana se despertó. Lo miró con una sonrisa, como si hubieran pasado la noche juntos y no se sorprendiera de que él estuviera a su lado. Daiana se dio vuelta sin taparse y quedó desnuda de la cintura para arriba. Él le acarició la cara. No, no soñaba. Ella se acurrucó contra el cuerpo de él.

–Me quiero quedar a vivir con vos –le dijo ella, pero pudo haber sido al revés. Pudo haber sido Andrada el que dijera:

–Quiero que te quedes conmigo.

Permanecieron unos segundos así, abrazados, un abrazo desprovisto de cualquier erotismo. Un abrazo de dos personas que temen perder al otro.

Le preguntó qué le gustaba desayunar. Ella le dijo que no desayunaba.

8

Andrada se preparó un café y le sirvió una leche chocolatada a Daiana, que había vuelto a ponerse la ropa del día anterior. Ella no quiso comer facturas pero devoró cuatro sándwiches mixtos. Él le preguntó qué había hecho durante la noche. Daiana le contó que se había cocinado unos panchos y que después había llevado los almohadones al salón comedor. Que le había gustado quedarse dormida viendo la tele.

Ella quiso que le mostrara la computadora. Él encendió la de su escritorio. Le preguntó si sabía usar internet. No, no sabía. Andrada abrió un navegador. Le dijo que le nombrara alguien a quien admirase. Chayanne, dijo ella. El escribió en Google: Chayane. En la página de Google apareció «quizás usted quiso decir *Chayanne*». Cliqueó en la forma correcta y aparecieron sitios y videos. Le mostró cómo manejar el mouse, cómo ir de un sitio a otro, cómo abrir una foto o cómo hacer funcionar un video. Al principio, Daiana parecía fascinada con ese mundo desconocido, pero a los quince minutos empezó a distraerse y unos minutos más tarde ya no quiso ver más.

Le sacó la ropa. Daiana quedó desnuda. Él también se desnudó. Tuvieron sexo en el sillón de su oficina, pero terminaron en la alfombra. Ella se recostó sobre él. Ninguno habló por largo tiempo hasta que ella se levantó y se fue. Andrada pensó que había ido al baño.

Como tardaba se levantó y la fue a buscar. La encontró en la cocina, sentada en una banqueta, desnuda, con un vaso de coca-cola, y cara de estar en falta. ¿Se encontraba bien? Sí, sólo tenía sed, dijo. Pero Andrada notó en ella una mirada que no conocía. ¿Extrañaba su mundo apenas un día después de dejarlo? ¿No estaba bien con él? ¿Qué significaban esos ojos perdidos detrás del vaso de gaseosa?

Le pidió que se vistiera, que la iba a llevar a comer a un restaurante. Ella se puso la única ropa que tenía y fueron hasta el auto. Daiana se acomodó en el asiento del acompañante como si fuera la ocupante habitual. Se notaba que le gustaba estar en ese auto. Salieron de la fábrica.

Era la primera vez que Andrada se mostraba con ella a la luz del día y no pudo evitar sentirse inquieto. No le preocupaba la idea de que lo detuviera la policía y sospechara algo. Tenía tan pagadas a las comisarías de la zona que ninguna se animaría ni a hacerle una boleta aunque manejara desnudo y borracho. No. Su inquietud nacía de la sensación de que había comenzado una vida nueva y que la vieja vida (la de décadas de rutina, la de objetivos claros y exitosos) no terminaba de abandonarlo.

Fueron a almorzar a El Cañón, una parrilla que quedaba en Pavón, cruzando Rivadavia, ya en el partido de Avellaneda. Él se había criado ahí cerca, en Gerli Oeste, del lado de Lanús, cerca de la iglesia de San Pedro Armengol, donde se juntaba con sus amigos para ir a jugar a la pelota del lado de las vías. Eso se lo contó cuando pasaron delante de la iglesia. Ella escuchó en silencio y cuando Andrada hizo una pausa le preguntó:

–¿Tenés hijos?

–Dos, un varón y una chica.

–¿Qué edad tienen?

–Veintinueve y veinte.

–¿Qué hacen?

–Estudian. Mi hijo estudia en Estados Unidos y mi hija va a la Facultad de Psicología.

Daiana se quedó callada. Entraron al restaurante. Andrada le consultó sobre la comida, pero como ella no se decidía, pidió una parrillada para los dos.

–¿Es linda tu hija?

–Muy linda.

–¿La querés?

–Por supuesto, es mi hija.

El mozo trajo una botella de vino para él y una coca-cola para ella.

–Yo... –empezó a decir Daiana, pero se arrepintió y se corrigió–, a vos no te interesa lo que me pase.

Andrada se dio cuenta enseguida de que le había molestado saber que él tenía hijos. Era absurdo. Él no quería a Daiana como una hija, sino como una mujer. Que tuviera quince años sólo lo volvía más difícil de explicar. Al fin y al cabo, siempre eran difíciles de explicar los sentimientos.

–Daiana, vos me interesás mucho. Quiero que tengas una vida hermosa y te voy a ayudar a que la tengas.

Pero Daiana se mostró incómoda durante el almuerzo. Casi no levantaba la vista del plato. Casi no comió. Muy probablemente no le gustaba estar en ese lugar. Antes de que pidieran el postre, ella le preguntó si podían volver a la fábrica.

Regresaron. Tomaron el helado que había en el freezer. Por un momento, Andrada pensó en llevarla a un shopping, tal vez al Alto Avellaneda, para comprarle regalos: ropas, mochilas, lo que quisiera. Pero no quería que se sintiera abrumada por tantas cosas.

Vieron la tele durante un buen rato. Él aprovechó una tanda publicitaria para contarle su plan. Primero le preguntó por la villa, por la gente de ahí, si su madre la buscaría. Daiana dijo que si se iba de la villa, nadie iba a darse cuenta. Él le aclaró que la decisión era demasiado importante y había que tomarla de manera adulta. Que si aceptaba irse de la villa era para no volver ni siquiera de visita. Ella le dijo que lo que más quería era irse de ahí, no soportaba a su madre, ni a los tipos. Había dicho simplemente *a los tipos,* sin aclarar si hacía referencia a hombres que vivían en la villa o a sus clientes. Él le dijo que pasaba a ser su mujer. ¿Voy a ser tu novia? Por primera vez en la tarde ella se rió. Si te gusta, mi novia, concedió él. Y agregó:

–Nada de otros novios, ni nada de paco ni ninguna mierda de ésas.

Daiana primero amagó a decir algo y después asintió en silencio.

Andrada le contó que le iba a conseguir un departamento para ella.

–¿Para mí sola?

–Sola. Yo te voy a ir a visitar seguido. O tal vez me quede a vivir con vos, pero no enseguida.

Que se iban a volver a ver muy pronto, que el miércoles la iba a hacer buscar por Arizmendi para llevarla al departamento nuevo.

–¿No puedo vivir acá?

Le aclaró que de lunes a viernes la fábrica se llenaba de gente y no era tan divertido andar desnuda por las oficinas. Andrada insistió en que el miércoles esperase la llegada de Arizmendi. Quizá como una broma, o como un deseo, agregó:

–O tal vez te voy a buscar yo.

Ella puso el cuerpo tenso.

–No, Julio, vos no podés venir.

–¿Por qué no puedo?

–Luli le dijo a todo el mundo que vos mataste al Piraña.

–¿Quién? ¿El Piraña?

–Sí, el día que estuviste con ésa. El Piraña era el hermano del Indio. Cuando se enteró de que lo habían matado se puso como loco. Si Luli no decía que fuiste vos, el Indio era capaz de cualquier cosa. Era capaz de mandar matar a todos los pibes de la villa.

–Tu amiga me quiso robar. Y ese chico también.

–No es mi amiga. El Piraña siempre robaba, hasta dentro de la villa. Total, como era hermano del Indio hacía lo que quería. Yo lo odiaba –hizo una pausa–. Vos no podés venir. El Indio preguntó a otra gente y todos dijeron que te vieron, que te corrieron y que casi te alcanzan pero que te metiste en tu auto y te fuiste.

¿Sabés lo que dice el Indio? Que si alguien te entrega, te lleva a la villa o le dice dónde vivís, le va a dar dos lucas. Hay pibes que no hacen otra cosa que buscarte en el semáforo de Amancio Alcorta.

Andrada escuchaba todo y registraba sólo las frases clave: sabían que era él. Habían puesto precio a su cabeza. Lo buscaban. Pensó que Daiana podía traicionarlo. Entregarlo por dos mil pesos.

–Vos sabés, Daiana, que lo que yo te estoy ofreciendo es mucho más que esa plata, ¿no?

–Yo lo odiaba al Piraña. Y odio al Indio. Luli sí te vendería. Si ésa se vende por dos pesos.

Se había hecho de noche cuando sintió el auto de Arizmendi. Por un momento pensó que Daiana iba a rogarle que no la hiciera regresar. Pero se quedó callada. Él le dio trescientos pesos, tal como le había dicho el día anterior. Ella guardó la plata en la cintura. Andrada le dio un beso en la boca y le acarició el pelo. Le dijo que fuera con Arizmendi, que el miércoles iban a volver a estar juntos. Bajó sola. Él se quedó en la oficina de Teresa viendo por el monitor de seguridad cómo Daiana se subía al auto de Arizmendi y se iba con él. Volvía a la villa. Andrada apagó las luces. Encendió las alarmas. Se acomodó en el auto y se fue de la fábrica. Volvía al edificio.

Cuarta parte
La calle

1

Ese lunes Andrada se despertó pensando que era un hombre de suerte. Entre sueños recordó lo que le había dicho Daiana. En la villa sabían que él había matado a ese chico. Vigilaban las avenidas, las calles, buscaban su auto. Le pusieron precio a su cabeza. No había sido un capricho evitar el camino de la avenida Amancio Alcorta. Mientras en el resto de la ciudad se sentía seguro, ahí, a medio camino entre su fábrica y el edificio donde vivía, lo buscaban para asesinarlo. ¿Estaba realmente seguro? No debía olvidar el sueño en el que había recordado el nombre de Luli y había vuelto a ver la cara de los que lo seguían. Conocía a esa gente. ¿No había visto la otra noche al muchacho de los tatuajes entre los cartoneros? ¿No era una suerte que el muchacho no lo hubiera reconocido todavía? Conforme pasaban los días, estaba más convencido de que el joven que le había cerrado el paso en la villa y el cartonero que paraba frente al edificio eran la misma persona. Ignorar la certeza (nacida más de su instinto que de la claridad de los recuerdos) era jugar con su suerte.

No. No era un hombre con suerte, era un hombre previsor. Había tomado los recaudos que le permitían sobrevivir. No era la primera vez en la vida. Y debía seguir haciéndolo. Se levantó con una idea, con una decisión tomada. Fue a la planta baja y buscó a Atilio, que barría la vereda. El portero lo saludó.

–Atilio, necesito un favor.

El portero apoyó la escoba en la pared.

–Lo que mande, don Julio.

–Necesito una pistola.

Si lo había sorprendido, Atilio no hizo ningún gesto que lo delatara.

–¿Alguna en especial?

–Cualquiera.

–¿Es para usted? ¿Sabe usarla?

–Aprendí cuando era soldado conscripto en Bahía Blanca.

–¿La necesita urgente?

–Ya.

–Los papeles tardan si quiere una legal.

–Primero el arma, después los papeles, para mí está bien.

Atilio parecía estar procesando la información que Andrada le daba.

–Mire, hagamos una cosa. Espéreme en su departamento, yo subo en diez minutos. Tengo algo que le puede servir.

Unos minutos más tarde, Atilio tocaba el timbre por la puerta de servicio. La chica de la limpieza lo hizo pasar y lo llevó hasta el estudio de Andrada, que lo estaba esperando. Atilio traía algo envuelto en una tela aterciopelada de color violeta. Lo apoyó sobre el escritorio y cuando estuvieron solos lo abrió. Quedó visible una pistola negra de tamaño mediano. No se parecía a ninguna de las que había visto en el ejército. Tampoco a las que había usado las veces que iba de caza con otros empresarios: en esas ocasiones había intentado disparar a unos ciervos y a unos patos, sin acertar a ninguno. La experiencia no le había gustado, no se sentía cómodo. Prefería la pesca, el anzuelo que engaña y mata.

–Es una Ballester Molina, calibre 11.25 –le explicó–. Traspasa todo, rompe lo que sea. Es como tener un cañón de mano.

Andrada la tomó y la miró en detalle. Tenía la belleza de lo definitivo, como si fuera un dios de metal que podía terminar con la vida de cualquiera y salvarlo de la muerte y de sus enemigos. Atilio siguió con su clase.

–El único defecto que yo le encuentro es que tiene un cargador de siete disparos más uno recamarado. Si se intenta disparar el cargador completo de forma rápida, después del tercer disparo es difícil darle a algo. Eso sí, a veinticinco, treinta metros desarrolla una capacidad de impacto que no se puede creer.

–Muchas gracias, Atilio, ¿cuánto le debo?

–Mire, esa arma es mía. Se la presto unos días hasta que le consiga una similar. Ahí le comento cuánto sale. Por ahora, no me debe nada. Tome, le dejo también una caja de municiones. Lo único que le digo es que tenga cuidado. Si la guarda en casa, téngala descargada. Si la va a pasear, llévela cargada porque cuando la necesite no va a tener tiempo a ponerle las balas.

Atilio se fue. Andrada tomó las municiones y llenó el cargador. Después buscó un maletín que sólo usaba para ciertas reuniones y puso el arma adentro. Acomodó también unos pocos papeles que necesitaba para la empresa. Ahora sí. Ahora se sentía plenamente seguro. Bajó al garaje y se subió al auto. Dejó el maletín a su lado. Podía moverse por la ciudad.

2

Cuando llegó a la fábrica, sintió una especie de zozobra. Todo ese lugar le recordaba a Daiana. Una sensación que crecía a medida que recorría el camino a su oficina y veía el escritorio de Teresa, el sillón donde él y Daiana habían pasado gran parte del fin de semana.

Su secretaria lo saludó y lo siguió hasta su despacho. Hacía más de diez años que trabajaba con él y era parte más de su familia que de la empresa. Soltera, tímida y sumamente trabajadora, había visto crecer a Florencia casi como si fuera una tía. De hecho, fue la persona que se pasó toda la noche en el hospital junto a él y a Elsa cuando Florencia tuvo la peritonitis a los dieciséis años. No había sido testigo de su historia con Elvira Damonte y Andrada no creía que lo hubiera averiguado de alguna compañera más antigua. Además, Teresa era incapaz de reprocharle nada.

–Necesito que alquile un departamento en la Capital. Preferentemente en la zona sur de la ciudad. Balvanera, Montserrat. No tan al sur como Parque Patricios. Un dos ambientes está bien.

–¿Para uso de oficina o familiar?

–Familiar. De hecho, hay que amoblarlo, ponerle una heladera, cocina, todo lo que se necesita para vivir.

–¿Para cuándo lo necesita?

–El miércoles a más tardar. Por el tema de la garantía hable con Miguens.

–Me parece que es un poco difícil conseguir algo tan rápido, porque la garantía lleva unos días de trámites burocráticos.

–Entonces busque una alternativa.

Pensó unos segundos. Andrada la conocía. Sabía que en ese momento el cerebro de Teresa funcionaba con una rapidez increíble. Era capaz de desarmar el nudo más complejo. Ni Miguens ni su abogado podían reaccionar tan rápido. Ella siempre tenía una solución a cualquier problema que él le planteara.

–¿No le parece mejor alquilar un departamento amueblado, como los que usan los turistas? Tienen la ventaja de que ya vienen con todos los servicios. Mientras tanto podemos buscar un departamento común y amoblarlo correctamente.

–Teresa, usted es una luz. Vaya y haga eso.

La secretaria se retiró con una sonrisa de satisfacción.

Andrada no podía concentrarse en nada. Miraba por la ventana y veía la fábrica vacía y el cuerpo de Daiana por todas partes. En el historial del navegador de su computadora habían quedado las páginas que buscaron juntos. Volvió a poner el video de Chayanne que a ella le gustaba. Se sintió ridículo y cerró la página. Fue entonces cuando Teresa le dijo que tenía una llamada. Un tal Mario Andrada quería hablar con él, decía ser su primo.

Hacía como treinta años que no sabía nada de él. Casi desde el momento en que su tío y la familia se habían tenido que mudar a Ciudad Oculta para evitar que Mario Andrada fuera a la cárcel. No supo nada más de ellos ni tenía ganas de saber. Pensó en negarse, pero seguramente volvería a llamar e iba a ser imposible esquivarlo todo el tiempo.

–¿Mario?

–Primo querido, ¿cómo anda la familia?

La voz era la misma que recordaba, tal vez un poco más cansada, pero mantenía el tono canchero que lo fascinaba cuando Andrada era chico. Le contó que lo había encontrado por las *Páginas amarillas*. Se acordaba de que trabajaba en esa fábrica y llamó con la esperanza de que el primo se hubiera convertido en el dueño del lugar. Y no se había equivocado, estaba hablando con su primo empresario. Andrada rió nervioso.

El primo quería saber de su vida. Hacía preguntas. Él, en cambio, se limitaba a contestarlas. Igualmente, Mario le contó que su padre había muerto, que se había mudado al Bajo Flores. Que tenía tres hijos y que por eso lo llamaba.

Su hijo mayor iba a cumplir diecinueve años. No

era un mal chico. Había estudiado hasta tercer año del industrial y siempre decía que iba a retomar en la escuela nocturna. Hacía un año que buscaba trabajo y que no encontraba. Él, Mario, tenía miedo. El Bajo Flores era un barrio con muchachos que andaban en cosas raras y no quería que su hijo por aburrimiento o por enojo fuera hacia la mala vida. Necesitaba urgente un trabajo, algo para sentirse útil. Por eso lo llamaba, para pedirle un trabajo para su hijo en la fábrica.

–¿Sabés cómo se llama mi hijo?

–No, ¿Alberto, como el abuelo?

–Se llama Julio, como vos.

Andrada no supo qué decir. Sólo atinó a rendirse. Le dijo que si bien no estaban buscando personal, podía haber algo para su hijo. Que fuera el jueves a las nueve de la mañana. Que no se preocupara, que le iba a dar un trabajo. El primo le agradeció. En la voz ya no tenía el tono alegre del comienzo y parecía realmente agradecido, o aliviado, por la actitud de Andrada.

Cuando cortaron, Andrada no se arrepintió de haberle ofrecido su ayuda. Al contrario, sentía una extraña alegría por haberse animado a ayudar a su primo y a su hijo. Le iba a dar un lugar en la fábrica. Al fin y al cabo era de su familia. El único que se interesaba en trabajar con él.

3

Al mediodía ya no soportaba estar ahí. Tomó su maletín y se fue diciéndole a Teresa que no volvería a la tarde. Tomó el auto y fue hacia la Capital. No encendió el aire acondicionado, sino que abrió su ventanilla todo lo que pudo. Necesitaba sentir el viento en la cara. Tomó por Pompeya y cuando iba a seguir derecho por Sáenz, algo en su interior lo hizo doblar por Amancio Alcorta. No quería ir a la villa. No era su intención pero necesitaba acercarse, rodearla, sentirse próximo a Daiana.

Llegó a la Parrilla Roberto Mouzo. Estacionó el auto en el mismo lugar que la vez anterior, aquel día en el que escuchó la conversación de los camioneros.

Apenas entró vio a la moza, que lo miró y lo saludó como si fuera un cliente habitual del lugar. Por un momento temió que ella supiera lo de la villa, pero era imposible. Estaban a varias cuadras y nada justificaba pensar que esa mujer tenía algo que ver con el mundo de la villa.

Se ubicó en la misma mesa. Desde ahí veía su auto y el bulevar. Cómo anda, le preguntó la moza a la vez que le dejaba la hoja que hacía las veces de menú. El plato del día eran espaguetis caseros con estofado de ternerita. Andrada tenía el estómago cerrado. Pidió una entraña a la parrilla con ensalada de radicheta y zanahoria. No tomó vino. Sólo una soda.

En las otras mesas había, como la vez anterior, camioneros que se conocían entre ellos. Pero no reconoció a los que había oído hablar aquel mediodía. Aguzó el oído para escuchar las conversaciones. Sólo pudo entender unos comentarios sobre fútbol y algunas cuestiones de mecánica de los camiones.

En ese momento sonó su celular. Era Teresa. Había encontrado un departamento.

–Es en Caballito, en Rivadavia y Pringles. Un dos ambientes muy lindo con todos los servicios incluidos y lo tienen para entregar mañana mismo. ¿Lo alquilo?

–Alquílelo y mándeme las llaves a mi casa con todos los datos.

Apenas cortó, llamó a Arizmendi.

–Le había dicho que pasara a buscar a la chica el miércoles, pero vaya mejor mañana. Ojo: no vaya después para la fábrica. Anote la dirección de donde la tiene que llevar.

–Espero encontrarla.

–No venga sin ella –le dijo en un tono conminativo que Andrada no solía usar con Arizmendi.

No había terminado su porción cuando pidió la cuenta. Se fue dejando otra vez una generosa propina. Tal vez por eso lo recordaba la moza.

No siguió avanzando hacia la villa. Dobló en sentido contrario y se alejó de ahí. Decidió ir a lo de Miguens. Había muchos temas pendientes. Los negocios habían caído de manera increíble y su capital había disminuido como nunca en esos quince años. Además Miguens había intentado seducir a su hija. Una auténtica estupidez que no debía volver a ocurrir.

Cuando llegó a Puerto Madero no fue directamente al estudio de su contador. Prefirió seguir de largo y pasar por la Costanera Sur. Seguía necesitando aire. Disminuyó la velocidad, anduvo hasta la fuente de Las Nereidas y estacionó el auto a la sombra. Se bajó y caminó por donde comenzaba la Reserva Ecológica. Si se daba vuelta y miraba hacia la ciudad podía ver una Buenos Aires extraña: los edificios ordenados de Puerto Madero que alguna vez fueron depósitos portuarios y hoy eran oficinas y departamentos para ricos; las moles de cemento hacia el sur, que le daban el aspecto de una ciudad abandonada; a su alrededor, los restos de un viejo balneario convertido en paseo ecológico. Cuando era chico, iba a ese lugar con sus amigos desde Lanús para bañarse en las aguas barrosas del Río de la Plata. Ahí, donde ahora había una especie de laguna que dividía la Costanera con la Reserva Ecológica, estaba la playa y más allá el río abierto como un mar. Venían en colectivo con el short de baño puesto. Dejaban en la arena la remera y las zapatillas y nadaban durante horas, hasta que se les cansaban los brazos y las piernas. Se secaban al sol, sacudían la remera y se la ponían o se la ataban a la cintura. Alguna vez habían ido a un potrero por ahí y habían jugado a la pelota. En otra oportunidad habían ido caminando hasta Florida y Lavalle y habían visto los cines que no conocían y que no pisarían nunca, al menos juntos. ¿Dónde estarían esos chicos? ¿En qué se habrían convertido? A la mayoría los había dejado de ver cuando había abandonado la escuela y se puso a trabajar. A alguno se lo había cruzado años después en el barrio, cuando él ya estaba en la fábrica del viejo Ramírez. Pero entonces no había sentido interés por saber qué había sido de sus vidas. Ahora, en cambio, le gustaría. Se repitió el nombre de cada uno de ellos. Se alegró al ver que no había olvidado ninguno. Estaba seguro de que algo similar les pasaría a ellos. Se acordarían de quién era Julio. El único Julio que había en todo el barrio.

Pensó en su primo, en el hijo de su primo. Un muchacho que casi no conocía y que tal vez era como él, un tipo al que sólo había que darle la oportunidad para que creciera. Él la había tenido. ¿Qué mejor que dársela a ese chico? Ayudarlo era como un agradecimiento al viejo Ramírez, que lo había tomado bajo su ala cuando no era más que un adolescente con hambre. Además, ese chico, que se llamaba como él, era de su sangre. Su propio hijo siempre se había negado a trabajar en la fábrica. Cuando Gonzalo terminó la carrera de administración de empresas, Andrada pensó que era el momento para que se pusiera a trabajar con él. Si no había querido empezar desde abajo a los dieciocho años –como a Andrada le hubiera gustado–, ya no importaba. Pero fue en ese momento cuando decidió aplicar para una beca en Estados Unidos. Andrada aún mantenía la esperanza de que cuando volviera con su título de doctor se pusiera a la cabeza de los negocios familiares. Mientras tanto, la llegada del hijo de su primo era una buena señal. Le gustaba la idea de formarlo, hacer de él lo que su hijo no había querido ni mucho menos necesitado: una persona que de la nada consiguiera todo.

Pasó gran parte de la tarde caminando por la Costanera, sin ánimo de adentrarse en el interior de la Reserva Ecológica. Finalmente hizo acopio de fuerzas y se dirigió al estudio de Miguens. Lo recibió el mismo agente de seguridad que lo llamaba doctor. Recién entonces Andrada se dio cuenta de que iba a tener que pasar el arma por el detector de metales. Se detuvo unos pasos antes.

–¿Cómo anda, Gutiérrez? –súbitamente había recordado el apellido del policía.

–Aquí estamos, doctor.

–Hoy parezco un colectivero. Tengo el portafolios lleno de monedas.

–No se preocupe, doctor.

Él mismo pasó el maletín por fuera del detector de metales y se lo alcanzó a Andrada del otro lado.

Cuando la recepcionista avisó a Miguens que estaba Andrada, no lo hizo pasar como siempre sino que salió él mismo a recibirlo. Se lo notaba nervioso o, al menos, sorprendido. Era la primera vez que iba en todos estos años sin concertar antes una cita. Para colmo, lo primero que le dijo al hacerlo pasar a su despacho fue:

–¿Te contó Florencia que anduvo por acá?

–Me contó. Decime, che, ¿cómo andás con tu esposa?

La pregunta sorprendió a Miguens más que la visita intempestiva. Andrada se sentó en uno de los sillones y dejó a su costado el maletín.

–Muy bien –dijo serio Miguens y agregó con una sonrisa–: por suerte.

–¿Y tu hijo?

–Hermoso, empezó el jardín. Salita de dos. Todavía está haciendo la adaptación.

–¿Y entonces por qué te hacés el boludo con mi hija?

Miguens abrió los ojos como el dos de oros. Más bien el dos de espadas: pupilas azules.

–Julio, te juro que no le dije ni le sugerí nada inconveniente. Sólo intenté ser amable para que se sintiera cómoda.

Y sin permitirle continuar con las excusas y explicaciones, Andrada le dijo:

–Veamos el acuerdo que teníamos con Galván. No puede ser que estemos perdiendo tanta plata, que vos ganes el dinero que ganás conmigo y que no hagas nada para sacarme de esta situación.

Las siguientes dos horas fueron casi una verdadera auditoría. Andrada no encontró nada sospechoso salvo cierta inoperancia de Miguens para resolver situaciones conflictivas. Sin embargo, le dio a entender que estaba pensando en apartarlo, si no en todos, al menos en gran parte de los negocios, lo que para Miguens significaba perder su mayor entrada de dinero, con la que mantenía esa onerosa oficina y a esas putas caras devenidas secretarias.

Putas caras, fue lo que Andrada se repitió cuando salió del edificio ya de noche. Estaba de pésimo humor.

Si revisaba su agenda del día, iba a encontrar un

largo blanco en toda esa tarde. Pero tenía muchas cosas que resolver. Mientras Teresa se ocupaba de abrir las puertas a su nueva vida, él debía sellar las grietas de su vida pasada por donde se colaban los peligros. Hacia él y hacia su familia. La prostituta era una de esas grietas.

Fue directamente al departamento de Martina de la calle Talcahuano. Con su maletín parecía un médico yendo a visitar a un paciente. Subió por el ascensor sin pensar que se estaba dirigiendo al departamento de una prostituta. Tampoco le preocupaba la idea de que ella estuviera con un cliente. Tocó timbre. Dejó pasar un minuto y volvió a tocar con más decisión. No se oía ningún ruido proveniente del interior del departamento. Pensó en esperarla, pero a los cinco minutos se sintió cansado. Se fue con la misma furia con la que había llegado.

Al subirse al auto esperó unos minutos antes de encender el motor. Necesitaba calmarse. Arrancó sin conseguir estar más tranquilo. En la puerta de su edificio estaban los cartoneros. Revisaban bolsas. Eran cuatro, tal vez cinco. En el momento en que iba a entrar al garaje, uno de ellos le obstruyó el paso. No parecía que lo hiciera a propósito, simplemente había decidido revisar una bolsa del consorcio a la altura de la entrada para los autos. Le frenó a diez centímetros y el cartonero del susto se cayó. Andrada le tocó bocina. El tipo se levantó y lo insultó. En realidad, Andrada no entendió lo que dijo, pero se dio cuenta del contenido por el tono y los gestos agresivos. Los otros iban a acercarse al auto cuando apareció Atilio. El portero les pegó un grito. Los cartoneros retrocedieron salvo el que lo había insultado. Atilio se acercó y le pegó un empujón. El cartonero se volvió a caer pero dejando libre la entrada. Andrada aceleró el auto y las ruedas rechinaron. Pasó a centímetros de los pies del cartonero.

Pensó en salir. Enfrentarse a esos tipos y decirles que los de la villa jamás iban a poder meterse con él. Que Daiana era suya y que el chico intentó robarle. Lo entenderían por las buenas o por las malas.

Volvió a subir por el garaje hacia la salida de la calle apretando el maletín con fuerza. Cuando ya estaba casi en la puerta vio que alguien hablaba con los cartoneros. Andrada se sonrió. Como si todo estuviera preparado para darle la razón a sus sospechas. Ahí estaba. Hablaba con dos de ellos. Uno era el que lo había insultado. El otro era el muchacho de los tatuajes. Ambos debían conocer a Martina desde hacía tiempo.

Retrocedió y fue al palier del edificio por el garaje. Pudo ver a Atilio en la entrada, que miraba hacia donde estaban los cartoneros y la prostituta. Volvió a sugerirle la imagen de un rottweiler adiestrado y obediente al amo. Eso era Atilio, por suerte para él y sus vecinos.

A los pocos minutos, Martina entró al edificio. Lo saludó con la misma levedad de siempre, como si él no hubiera pagado días atrás por acostarse con ella. Subieron juntos en el ascensor. Apenas se cerraron las puertas, Andrada le dijo:

—Te lo voy a decir una vez y que te quede claro: no

te acerques a mi hija. No le hables, no la saludes. Si te la cruzás, la esquivás. Es más: mudate pronto.

Martina abandonó cualquier intento de simpatía. Su rostro perdía toda la hermosura cuando no intentaba ser seductora.

–¿Vos te creés que ser puta se contagia? ¿No te sentís un poco pelotudo haciendo esto?

La puerta se abrió en el piso que ella vivía. Andrada, con la mano que no sostenía el maletín, la tomó del cuello y la empujó contra el tablero del ascensor. Vio los ojos de horror de la chica.

–No te acerques a mi hija.

La soltó y ella lo empujó para salir del ascensor. Le gritó:

–No se te ocurra tocarme de nuevo porque voy a hacer que te caguen a tiros.

La frase de ella le resonó como la que había oído en la villa, cuando escapaba de los que lo seguían.

–No les va a resultar tan fácil –se dijo mientras las puertas del ascensor se cerraban.

Entró a su departamento. Seguía alterado. Su esposa estaba en el living viendo la tele. Lo oyó entrar y lo miró con una sonrisa que no estaba dirigida a él, sino que era consecuencia del programa que estaba mirando.

–Hola, Julio, qué tarde se te hizo –le dijo Elsa.

–Muchos problemas.

Ella ya no sonreía, pero lo miraba con una dulzura no exenta de ironía. Esa mirada que tenía cuando estaba de buen humor. Andrada apoyó el maletín en el suelo y se dejó caer en un sillón. Elsa se acercó a él. Le acomodó el cuello de la camisa, que estaba doblado para adentro, vaya a saber desde cuándo. Con los ojos en la camisa, le preguntó:

–¿Qué te pasa, Julio?

Él la miró. Hacía rato que no la miraba, que no la tenía tan cerca. Le podría haber dicho: mañana empiezo una nueva vida. O: ya no soy tu marido. No soy el que creés que soy. Podría haberle dicho muchas cosas. Pero Andrada decidió no contarle la verdad. Ella no la aceptaría. Manipularía todo para que siguieran su vida habitual: esa casa con habitaciones a las que Andrada no entraba desde hacía años, los hijos que se iban alejando cada vez más, la vejez que les iba llegando, la fábrica en el otro extremo de la ciudad que ella jamás pisaba.

–Nada que el idiota de Miguens no pueda arreglar. Con mi dinero, por supuesto.

–Nuestro dinero –dijo ella tirándole de los bordes de la camisa.

Elsa fue hacia la cocina.

–Hay pollo al horno que preparó Leticia. Ahora lo caliento. ¿Querés una copa de vino?

–Prefiero una cerveza.

–Venite a la cocina y cenamos acá.

Andrada se levantó fastidiado por el cambio de ambiente. Sin embargo, una extraña e inusual paz bajó por todo su cuerpo.

4

Cenaron con muy pocas palabras. Desde hacía unos años, cuando dejaron de discutir por todo, las conversaciones entre ellos se habían reducido hasta perderse en el silencio.

–Creo que hay helado en el freezer –le dijo Elsa.

–No, prefiero hacer café.

Se levantó y se puso a cargar para dos la cafetera express.

–Cuando Florencia se vaya nos va a quedar grande este piso –dijo ella.

–Ya queda grande.

–Sí, pero Florencia con su desorden habitual llena varios ambientes, el suyo, el de su hermano, el living. En todas partes hay cosas de ella.

–Va a tener que aprender a ser ordenada. Aunque con la amiga con la que se va a vivir...

Sirvió los cafés, le alcanzó el edulcorante a su mujer y se volvió a sentar.

–Julio, tenemos que hacer algo.

–¿Con qué?

–Con nuestras vidas.

Andrada sorbió el café. La miró con detenimiento. ¿Cuántas cosas habían pasado juntos? ¿Hacía cuántos años que estaban solos, que ya no se tenían el uno al otro?

–¿Y qué querés hacer?

–No sé. Algo. Por lo pronto, cambiar de clima. No digo de clima meteorológico. Cambiar de ambiente, viajar.

–Hace tres meses estuvimos en Brasil.

–No hablo de vacaciones programadas. Viajar. Podríamos ir a Nueva York, y a conocer las cataratas del Niágara. Y después podríamos ir a visitar a Gonzalo. Quedarnos un tiempo en Boston. Me gustaría mimarlo un poco.

Andrada escuchaba todo como si oyera el parlamento de una película. O mejor: como si él fuera un actor que representara un personaje que sólo pensara en terminar la filmación y volver a su vida verdadera. Se sentía afuera de esa cocina, de ese piso, de ese edificio. Estaba en la calle, estaba yendo hacia algún lugar al que todavía no había llegado. Estaba en camino. Elsa lo quería llevar hacia donde ella estaba, pero era tarde. Irremediablemente tarde.

–¿Vamos a la cama? –le dijo Elsa.

Andrada pasó por el bar a servirse un whisky y se lo llevó al cuarto. Se desnudaron con calma. Elsa se quedó en bombacha y corpiño. Todos esos años ella había luchado contra la apariencia de la vejez. Una lucha desigual. Sin embargo, al verla desnuda, a Andrada no le parecía una mujer de cincuenta años. Cuando se está muchos años junto a otra persona, el otro no envejece. La memoria lo transforma en un cuerpo siempre igual a sí mismo. Se congela fuera de toda agresión del tiempo. En ese momento, allí, en la cama, Elsa volvía a tener el cuerpo de los veinticinco años.

Quinta parte
El cielo

Teresa le había enviado las llaves en un sobre acolchado que guardó en el maletín. Salió de su casa a las ocho y media a pesar de que, en el mejor de los casos, Arizmendi no llegaría con Daiana hasta las diez. Fue por Pueyrredón hasta Rivadavia y siguió derecho hasta Yatay. Dobló a la derecha y buscó un estacionamiento. Lo encontró cruzando Lezica. Llamó a Teresa. Ella había estado la tarde anterior en el departamento, había firmado el contrato temporal por un mes y estaba todo en perfecto orden. Había comprado unas aguas, gaseosas, frutas, pan lactal, conservas y algunos snacks. A Andrada le gustaba el estilo de Teresa. Ella tomaba pequeñas decisiones que mejoraban siempre lo que a él se le ocurría. Y jamás preguntaba nada. Se conformaba con la información que él le daba en cada caso.

El departamento estaba en un tercer piso de un edificio anodino. El portero debía estar acostumbrado a que entrara gente desconocida, apenas lo miró cuando Andrada logró abrir la puerta de calle luego de probar con distintas llaves.

El interior tampoco era agradable. Limpio, en buen

estado, pero desangelado. Se notaba que nadie vivía ahí. Nosotros también vamos a estar de paso, se dijo, y ese nosotros le resultó extraño, irreal.

Lo primero que hizo fue llamar a su abogado. No olvidaba lo de Martina. Tenía que sacarla del edificio. No le iba a resultar difícil. Lo mejor era empezar por las buenas. Llamar a la dueña del departamento y ofrecerle un acuerdo económico que indemnizaba ampliamente los meses de alquiler que pudiera perder mientras buscara otro inquilino. Si eso fallaba, le dijo al abogado, habría que buscar otras maneras.

Después, se acomodó en un sillón y se dispuso a esperar. Tenía una rara habilidad para quedarse sentado esperando. Lo había hecho varias veces en su oficina cuando algo importante tenía que suceder: un contrato, la compra de una propiedad, incluso se había pasado toda una tarde sentado sin hacer nada durante una huelga de sus obreros.

Pero en esta ocasión, a las diez no soportó más y se levantó. Fue hacia la ventana que daba a la calle con la esperanza de ver llegar el auto de Arizmendi. A las 10.30 marcó su número. El teléfono sonaba hasta que se cortaba la llamada. Empezó a llamar con intervalos regulares cada cinco minutos.

A las 11.05 llamó a Atilio, la única persona que Arizmendi y él tenían en común y que lo podía ayudar. Atilio no sabía nada. Quedó en averiguar entre otros policías. Cuando cortó sintió que al menos tenía un aliado con el que podía compartir la situación. Sin embargo, él no le había dicho más de lo estricta-

160

mente necesario. Apenas que Arizmendi debía ir a la Villa 21. No le aclaró por qué.

Atilio lo llamó a los quince minutos. Nadie sabía nada y algunos colegas estaban sorprendidos de que fuera a la villa solo. No era su territorio y siempre convenía llegar acompañado de alguien que conociese a los del lugar.

–Le aseguro, don Julio, que si Arizmendi está en la Capital, en menos de una hora sabemos dónde se encuentra.

Andrada se imaginó a toda la Policía Federal buscando a Arizmendi. Iba a resultar muy difícil explicar qué hacía con una adolescente si lo encontraban junto a Daiana.

Se cansó de llamar al teléfono de Arizmendi. Andrada no soportaba quedarse ahí. Le parecía que estaba desaprovechando algo y no sabía qué: ¿su energía, su tiempo, su poder? Sin embargo, no podía hacer otra cosa que esperar, mirando por la ventana hasta que le dolieran los ojos.

Ya había pasado el mediodía (apenas tres minutos, contaba cada uno, los enumeraba y los nombraba en voz alta), cuando recibió otro llamado de Atilio. Estaba perturbado y la voz se le quebraba.

–Pasó lo peor, don Julio. Encontraron a Arizmendi muerto. Tirado en un zanjón. Por Iriarte y una calle de esas de la villa. Tenía dos tiros en la cabeza. Villeros hijos de puta.

Andrada cortó sin decirle nada a Atilio y sin esperar a que terminase de hablar. Unos segundos más tar-

161

de estaba en su auto. Cómo se había alejado de su lugar junto a la ventana del departamento, había abandonado ese edificio y había retirado el auto del garaje, era algo que no había registrado. La realidad se le escapaba por todos lados.

2

Volvió a llamar a Atilio desde el auto. Quería saber todo lo que había averiguado. A Arizmendi, le contó Atilio repitiendo lo que le había dicho la policía, lo habían asesinado a eso de las diez de la mañana. Pero no lo habían matado donde encontraron el cuerpo sino en otra parte de la villa. Lo habían llevado hasta ahí, ya fuera para despistar sobre el lugar del crimen, ya fuera que quisieran dar un mensaje con el lugar donde lo dejaron. Creían que lo habían matado por error en la guerra de narcos que había en la villa.

–Mire, don Julio, no sé qué buscaba Arizmendi en la villa ni tampoco me interesa. Tampoco les dije a mis amigos que estaba trabajando para usted. A mí lo que me preocupa es su seguridad. Si quiere, puedo pedir un patrullero para que haga guardia en la puerta del edificio.

–No se preocupe, Atilio, nada me va a suceder. No pida el patrullero.

Andrada, una vez más, iba un paso adelantado a

los demás. Un movimiento más de la partida de ajedrez que su mente jugaba con los hechos que se sucedían. Él sabía por qué habían matado a Arizmendi: por Daiana. ¿Se habría resistido la familia de ella? ¿Se habría arrepentido la propia Daiana y había sido ella la que armó una trampa para que mataran a Arizmendi? En todo caso, donde habían dejado el cadáver del policía debía ser el mismo lugar donde él había matado al chico. El mensaje no estaba dirigido a la policía. El próximo muerto podía ser él. De pronto se sobresaltó: Daiana, pensó, ella también puede ser una víctima. Aceleró el auto que se dirigía hacia la fábrica, como un caballo amaestrado. Bulnes derecho, y luego lo llevaría por Boedo, Sáenz, Remedios de Escalada. El auto sabía el camino y él sólo apretaba el acelerador. Tomó su teléfono celular con la mano libre. La otra hacía todas las maniobras con el volante y la caja de cambios. Iba a llamar a la fábrica. Le iba a decir a Teresa que si llegaba una adolescente preguntando por él que lo esperase. Tenía el pálpito de que la propia Daiana lo buscaría. Ella debía saber cómo llegar de la villa a la fábrica de Lanús.

Fue sólo un segundo. Menos. Una milésima de segundo en la que ocurría de todo: un golpe, ruido de metales que se hundían y doblaban, bocinas de todas partes, un grito, tal vez más. Vio cómo giraba todo alrededor. Después nada. Blanco absoluto.

Se despertó al instante, o eso creyó. Un murmullo creciente que se convertía en ruidos que le atravesaban la cabeza. Su auto estaba parado en medio de Boedo.

Miró a su alrededor y vio la calle vacía. Se dio vuelta y encontró un auto con los vidrios rotos y la trompa hundida. Alguien se acercaba a su vehículo. Era un policía. Le abrió la puerta y le preguntó si estaba bien. Andrada, como un boxeador al borde del knock out, dijo que sí con la cabeza. Salió del auto sin necesidad de ayuda. Miró el vehículo: del lado del acompañante estaba hundido. El otro auto le había dado un buen golpe.

Sintió el ruido ensordecedor de una sirena. Una ambulancia se detuvo entre los dos autos accidentados al tiempo que la sirena dejaba de sonar. Bajaron los paramédicos, que se dirigieron con una camilla al otro vehículo. Un enfermero vino hacia él. Lo hizo sentar en el asiento de atrás del auto con los pies hacia fuera. Tenía un corte en la frente pero nada más.

–Qué buena máquina la suya –le dijo el enfermero–. Es como un tanque. Y no hay como estos motores alemanes.

En el otro vehículo viajaban dos personas y a una la llevaban en camilla con un cuello ortopédico. El otro la acompañaba caminando al lado, pero ninguno de los dos estaba gravemente herido. El que iba de pie parecía más preocupado por dar explicaciones al policía que por su acompañante.

Llegaron dos oficiales más. Hablaron entre ellos. ¿Qué se decían? ¿Hablaban del accidente o de otra cosa? ¿Desde cuándo la policía aparecía tan pronto? Algo estaba pasando en la ciudad, algo peligroso. Tenía que estar atento. El policía que le había hablado primero se acercó y le volvió a preguntar cómo estaba. Él le contestó que se sentía bien. Recién entonces, en realidad, empezaba a estar mejor. A lo lejos se oían las bocinas de los autos que eran desviados por la avenida San Juan.

–Para su tranquilidad –le dijo el policía–, yo vi el accidente. Usted venía posiblemente a más velocidad de lo permitido, pero fue el otro auto el que pasó en rojo. Eso es más grave. Igualmente voy a tener que tomarle todos los datos.

Los otros policías y unos voluntarios desplazaron el otro vehículo hacia un costado de la calle.

–¿Cómo están los que viajaban ahí? –preguntó Andrada.

–Nada grave. Luxación en el acompañante. Algún golpe. La sacaron barata.

Se acercó otro de los policías y le preguntó a Andrada si sabía si su auto arrancaba. Andrada dudó. Miró el asiento de adelante. El maletín estaba tirado en el piso. Se había abierto y se asomaban unas hojas. No se veía nada más. Antes de que atinara a hacer algo con el maletín, el policía, se subió sin pedirle autorización y lo arrancó. El motor respondió como si nunca hubiera chocado. Andrada se bajó a la calle y el policía estacionó el auto a un costado. A Andrada lo hicieron subir a la vereda. Los policías habilitaron dos carriles de la avenida Boedo.

Lo tuvieron un rato más llenando formularios. La ambulancia con los enfermeros y los ocupantes del otro auto ya se habían ido. Salvo el vehículo destrozado no quedaban muchos vestigios del choque. El tránsito estaba casi normalizado. Un policía le preguntó si no prefería llamar a alguien para que viniera a buscarlo. Andrada le dijo que estaba en perfectas condiciones para manejar. Que por favor le dejara los datos de los policías que habían intervenido porque quería felicitar al comisario y hacerles un presente. El policía sonrió orgulloso. Con tono formal, le dijo que sólo cumplían su deber. Andrada abrió su billetera y le pasó trescientos pesos. Cien por policía. Mucho más de lo que le hubieran cobrado de coima si en el otro auto hubiera habido un muerto. El policía lo miró sorprendido, pero tomó el dinero rápidamente y le agradeció. Andrada se acomodó en el lugar del conductor y arrancó. Frenó a las dos cuadras porque sentía que le temblaba todo el cuerpo y quería calmarse. Recién entonces acomodó el maletín. Buscó el celular que se había caído al piso e intentó llamar a la fábrica. El teléfono estaba muerto. Se había roto con el choque. Furioso, lo tiró al piso del auto y el aparato se terminó de romper.

Arrancó y aceleró haciendo chirriar las ruedas.

3

Cercando la vereda de la fábrica habían puesto un precinto policial y había patrulleros y policías por todos lados. Estacionó el auto donde pudo, unos cincuenta metros antes de llegar a la puerta de entrada y bajó con su maletín. Un agente no dejaba pasar a nadie.

–Soy el dueño –dijo a la vez que vio al comisario Roldán que salía a buscarlo.

–Venga, Andrada, lo estuvimos llamando y no lo podíamos ubicar.

Los policías estaban en todos lados. Vio a algunas de sus empleadas llorando. El único que mantenía la calma era el cadete, que se acercó apenas lo vio. Parecía estar a cargo del lugar junto al comisario Roldán.

–Nos asaltaron –dijo el cadete–. Yo me puse a llamarlo por el celular, pero dice que está apagado. Las chicas están muy nerviosas.

–Hay un muerto –dijo el comisario–, Luciani.

Carlos Luciani era el custodio de la fábrica. Un hombre mayor, cerca de los sesenta, que se había jubilado en la policía bonaerense. El segundo policía muerto de su entorno en menos de un día.

–Intentó resistir al asalto, pero los muy mierda lo acribillaron. Eran cuatro individuos jóvenes.

–¿Dónde está Teresa?

–Le pegaron para que les abriera la caja fuerte –dijo el cadete–. La llevaron a la clínica Alsina.

Era la primera vez que le robaban en la fábrica. Ningún delincuente de la zona se hubiera animado. Ésos no eran ladrones del barrio. Estaba claro para él que la muerte de Arizmendi y ese asalto formaban parte de la misma trama. Lo buscaban. Habían muerto dos personas, pero al que querían asesinar era a él.

El cadete le hizo una descripción detallada de lo que había sucedido: habían llegado cuatro delincuentes. Desarmaron a Luciani, obligaron a los golpes a

Teresa a que abriera la caja fuerte, revolvieron su oficina y se llevaron sólo el dinero que encontraron. Los obreros del taller ni se habían enterado del asalto. Cuando estaban yéndose, acribillaron a Luciani. Por puro gusto. No se había resistido al asalto, como había dicho el comisario tal vez con el ánimo de enaltecer a un viejo colega.

Su esposa llamó a la fábrica, porque tampoco se había podido comunicar al celular. Estaba desesperada porque el cadete había llamado al departamento buscándolo y le había contado del robo. El chico no le había dicho de la muerte del custodio ni de los golpes a Teresa. Andrada tampoco lo hizo. La tranquilizó. Le dijo que se le había roto el celular pero que ya lo iba a arreglar. Que estaba todo bajo control. Que iba a tener que hacer muchos trámites engorrosos, pero que esa noche iba a ir a buscar a Florencia a la facultad, como había quedado con ella, y que iban a cenar los tres. La promesa de estar juntos esa noche pareció tranquilizarla.

Andrada dejó al comisario y al cadete a cargo de la situación. Llamó a su abogado y a Miguens, los puso al tanto y salió hacia la clínica. Teresa estaba en una sala en observación. En la sala de espera estaba la hermana de Teresa. Andrada la conocía, pero no recordaba su nombre.

–Qué tragedia –dijo la mujer.

–¿Cómo está Teresa?

–Está muy golpeada, la pobrecita.

Buscó al médico de guardia. Le explicó quién era. El doctor le contó que le estaban haciendo estudios para descartar heridas internas, pero que Teresa estaba bastante bien. La habían sedado por el dolor y por la situación traumática que había vivido.

Andrada entró a la habitación para verla. Tenía los ojos cerrados. Sin embargo, como si la cercanía de su jefe la despertara, abrió los ojos. Habló en voz baja.

—Se robaron toda la plata —hablaba como en cámara lenta, estirando las sílabas.

—Teresa, no se preocupe, usted sabe que eso no es lo importante.

Ella cerró los ojos. Andrada siguió hablando:

—Ahora lo importante es que se recupere bien. Ya hablé con su hermana y con los médicos. Por suerte, no hay ninguna herida grave y le van a dar el alta pronto. Pero yo quiero que descanse. Que se tome unos días. Váyase unos días con su hermana a la costa, o a donde quiera. Yo la invito.

Teresa volvió a abrir los ojos.

—No puedo dejarlo solo.

¿Qué era lo que hacía de Teresa una persona tan fiel? ¿Por qué lo quería tanto? Al fin y al cabo, él nunca le había dado más que un trabajo correctamente pagado y un trato amable. Sin embargo, ella se comportaba como una hermana o una madre.

Andrada le tomó la mano.

—Teresa, va a descansar. Es una orden. O la echo.

Ella movió lenta y afirmativamente la cabeza, como resignada.

—A la mañana —dijo Teresa con más ánimo— lo llamó un sobrino.

—¿Un sobrino?

—Sí, Julio, el hijo de su primo. Quería agradecerle por la oportunidad que le daba y dijo que el jueves va a estar en la fábrica a primera hora. Me cayó bien ese muchacho. Tenía una linda voz.

Su sobrino. Siempre había pensado en él como el hijo del primo, pero en realidad era una especie de sobrino. No le disgustaba la idea, teniendo en cuenta que los sobrinos verdaderos, los hijos de su cuñado, eran una manga de idiotas incapaces de trabajar. Su sobrino Julio iba a crecer a su lado. Ese chico todavía no lo sabía, pero era un muchacho con suerte.

Cuando Andrada iba a salir de la habitación, Teresa volvió a hablarle.

—Hoy, unos momentos antes del asalto, vino una chica a verlo. Estaba muy nerviosa. Dijo que usted la estaba buscando para llevarla a un lugar. Lo llamé pero su celular estaba apagado. La vi tan nerviosa que me tomé la libertad de darle la dirección del departamento. No hice mal, ¿no?

—Hizo perfecto, Teresa.

4

Andrada se detuvo un momento para comprar un celular en una telefonía que quedaba en la otra cuadra de la clínica. El vendedor insistía en querer mostrarle diferentes modelos, pero él sólo quería un teléfono con la batería cargada y al que le pudiera poner su chip. El vendedor notó el apuro. No hizo más preguntas y le cobró un precio altísimo por un teléfono cuyo único mérito era la batería con la carga completa.

En el auto encendió la radio. Las noticias decían que un policía había sido asesinado en la Villa 21 por un grupo de narcotraficantes. Llegó a Caballito cuando ya eran las cuatro de la tarde. Encontró a Daiana parada en la puerta del edificio. Fue verla y saber que todo volvía a tener sentido, que había superado un montón de pruebas para ahora tenerla frente a sus ojos. Le tocó bocina. Ella tardó en darse cuenta de que era él. Le hizo un gesto para que entrara en el auto. Daiana estaba seria. Se subió y casi le gritó:

–Hace más de dos horas que te espero.

No dijo nada más. Él sintió el cansancio de todo ese día sobre el cuerpo. Un cansancio que, sin embargo, no disminuía en nada la sensación de felicidad de tener a Daiana junto a él, tal como lo había imaginado. Andrada tampoco habló. Fueron al estacionamiento, dejaron el auto y volvieron al departamento. Cuando entraron, ella se puso a llorar. Él la abrazó, le acarició la cabeza.

–Pensé que en cualquier momento me iban a venir a matar –dijo Daiana entre sollozos.

Andrada fue a buscar agua a la heladera. Le sirvió un vaso. Le corrió el pelo de la cara. Ella se limpió la nariz con el revés de la mano.

–El hombre que vino a buscarme la vez pasada volvió hoy. A la mañana. Yo no estaba en casa. No me esperó ahí. Alguien le dijo que yo estaba en lo del Indio. Pero era una trampa. Creían que eras vos y querían cobrar los dos mil pesos de recompensa. Pero el Indio se dio cuenta de que no eras vos. Parece que lo apuraron mal. Lo tuvieron una hora dándole sin parar. Les contó todo. Tu nombre, dónde vivís, dónde trabajás. Alguien me avisó que el Indio me buscaba y escapé por la calle Luna. Hice dedo hasta Pompeya. Ahí me tomé un colectivo hasta tu fábrica. Me atendió una señora, me trató muy bien y me dijo que vos seguramente me estabas esperando acá. Me dio la dirección, pero yo no sabía llegar. Me tomé dos colectivos y al final llegué. Vos no estabas. El portero me preguntó a quién buscaba. Yo le dije que mi tío tenía un departamento acá pero no me creyó. Me fui y volví al rato. Ya me estaba por ir.

–Daiana –daianadaianadaianadaiana–, ahora estás acá, conmigo. Nadie te va a hacer nada.

–Te quieren matar. Y me van a matar a mí porque no te vendí, porque te conocía y no les dije nada y me vine con vos.

–Nadie te va a matar. Ni a vos ni a mí. Yo voy a cuidarte. Te vas a quedar unos días acá. Después vamos a ir a una casa. A una casa hermosa en Lanús. Ya vas a ver. Ponete bien y quedate tranquila.

Ella le buscó los ojos.

–Julio, si me encuentran me matan. No puedo volver más a la villa.

Andrada se acercó para abrazarla. La besó. Ella se

ovilló y se pegó a su cuerpo. Andrada le pasó la mano por la espalda. Sentir su piel lo emocionaba. Estuvieron así hasta que se quedaron dormidos. Andrada se despertó con el llamado de su celular.

–Don Julio, habla Atilio. Disculpe que lo moleste, pero tengo noticias. Me llamaron unos amigos de la Federal. Saben que Arizmendi estaba trabajando para usted y le quieren hacer unas preguntas. Me dijeron que iban a pasar por el edificio. Yo los conozco a los que van a venir. No se preocupe porque son amigos, pero igualmente quieren hablar con usted. Me pidieron que les confirme un horario en el que lo puedan encontrar.

Andrada escuchaba a Atilio y miraba el cuerpo dormido de Daiana. La habitación estaba en penumbras. Buscó su reloj: eran las siete y cuarto.

–Dígales que pasen a eso de las nueve. Que los voy a ayudar en todo lo que pueda.

Se quedó unos minutos oyendo la respiración profunda de Daiana, mientras miraba por la ventana. Ahora no buscaba encontrarla a ella, ya la tenía ahí, junto a él, dispuesta a vivir el riesgo de estar juntos. Ella temía por su vida. Él, en cambio, no tenía miedo a nada.

5

Daiana no quería que se fuera, pero él le explicó que no podía quedarse esa noche con ella. En la heladera y en la alacena estaban las cosas que había comprado Teresa, además de bebidas gaseosas. A la mañana siguiente a primera hora estaría ahí. Que mirase la tele y comiera. Para darle ánimo le dijo que iban a ir de compras. Que él le iba a comprar toda la ropa y todo lo que Daiana quisiese para ella. Daiana abrió muy grande los ojos y se rió. Se olvidaba de todos los problemas ante la perspectiva de ir de compras. Reaccionaba como cualquier adolescente.

Cuando salió del departamento comenzaba a oscurecer. Caminó las cuadras hasta el estacionamiento asediado por pensamientos tortuosos. No le preocupaban los policías que iban a ir esa noche a interrogarlo. Ni tampoco el peligro mucho más real de esos villeros que lo buscaban para matarlo. En su mente se repetían interrogantes que lo lastimaban: ¿dónde estaba Daiana cuando Arizmendi la fue a buscar? ¿Cómo se había enterado de que el Indio le había tendido una trampa al policía? ¿Quién le había avisado que estaba en peligro? ¿Realmente se había escapado de la manera que dijo o alguien la había llevado a la fábrica? Y si era así, ¿qué buscaba ella? ¿Había alguien más en toda esa historia y él lo desconocía? Andrada jamás había sentido celos de su mujer. No sabía bien qué eran realmente los celos, pero hubiera jurado que eso que ahora lo estaba destrozando por dentro no podían ser celos sino algo más grave.

Andrada debía apurarse si no quería llegar tarde a buscar a Florencia. Le gustaba estar antes que su hija, verla llegar feliz de su clase. Había dejado a Daiana

174

a pesar de sus quejas. Como había hecho en el fin de semana en la fábrica, Andrada la había dejado encerrada. Ella no se había quejado ni la vez anterior ni ahora. Como si le pareciera natural quedarse sin la posibilidad de salir. ¿Adónde iba a ir? Además eran sólo unas horas. A la mañana siguiente iba a estar él ahí para despertarla como el domingo último.

Llegó tarde a la Universidad Católica. Su hija lo estaba esperando en la puerta. Él estacionó a su lado, pero Florencia no entró al auto. Le señaló el cielo. Andrada no entendía qué le quería decir. Bajó la ventanilla del acompañante y ella se asomó, como alguna vez habían hecho las chicas de la villa.

–Que mires el cielo, pa.

Andrada adelantó el cuerpo, miró por el parabrisas y no vio nada extraño.

–¿Podés sacar tu cabezota del auto y mirar el cielo o estás pegado al auto?

Andrada puso el auto en punto muerto y salió del vehículo.

–Mirá las estrellas. Acá se ven más que por Barrio Norte porque hay menos luces. ¿No es una noche hermosa?

Había un cielo negro manchado de luces, muchas luces, ni una nube que enturbiara el despliegue de estrellas. Jamás habría mirado el cielo si Florencia no se lo hubiera pedido. Pero Andrada no estaba de humor para hacerle algún comentario gracioso, ni siquiera cordial. Le dio simplemente la razón. Y sin embargo, repetir una rutina, buscar a su hija a la salida de la facultad, le daba algo de calma. No le hacía olvidar a los policías que estarían en su hogar en menos de una hora, ni las muertes ni las amenazas de muerte, pero le permitía aferrarse a ese orden que él había construido y consolidado en todos esos años. Llevaba a su hija de vuelta a su casa y eso formaba parte de un mundo donde todo estaba bien. Como esos cubos mágicos con los que alguna vez había visto jugar a su hijo: primero se armaba una cara del mismo color cuidando los detalles laterales para que coincidieran con los otros colores, después se daba vuelta y había que repetir ciertas rutinas que iban ordenando el cubo. Sin embargo, su hijo le había explicado, el momento previo a tener las seis caras de cada color era cuando el cubo parecía más desordenado. Daiana le había dado vuelta el cubo y él había movido los colores, sólo faltaba hacer algunos giros para que la vida volviera a estar perfectamente en orden.

Florencia se subió y tiró su mochila en el asiento de atrás, justo al lado del maletín.

—El lunes comienzo mi nueva vida —dijo ella.

—¿Cómo? —Andrada iba inmerso en sus pensamientos y la voz de Florencia le llegó como desde un lugar muy lejano.

—Que el lunes, nueva vida. Empiezo a trabajar en el estudio que me consiguió tu contador y me mudo. El fin de semana voy a hacer la mudanza. ¿Me vas a ayudar con las cosas?

—¿Por qué no esperaste a comienzos de mes para llevar a cabo tantos cambios?

–Porque no hay que esperar cuando se puede actuar.

–Qué frase.

–Me la dijiste vos cuando dudaba en empezar a estudiar psicología o esperaba a regresar del viaje para anotarme. ¿Te acordás? Y te hice caso. Yo siempre te hago caso.

Andrada no se acordaba de haber dicho eso. En cambio sí recordaba la desazón que sintió cuando su hija decidió irse con unas amigas a Europa a los dieciocho años. Le parecía muy chica y hubiera preferido que primero estudiara en la universidad. Ella se había anotado en la carrera y se fue igual a Europa, aunque acortó los tiempos del viaje. Comenzó la carrera con el semestre ya iniciado.

En la esquina anterior a la cuadra de su casa lo detuvo el semáforo. Desde ahí pudo ver que en la puerta de su edificio estaban los cartoneros, acomodando cajas plegadas y pilas de papeles que ponían sobre un carro. A pesar de que era de noche, a medida que se acercaba Andrada reconoció o creyó reconocer a cada uno de ellos. Los había visto. Había estado frente a ellos en otra ocasión. Sólo que aquella noche llovía y ahora había estrellas, que en esa parte de la ciudad apenas se veían. Sintió que su cuerpo se tensaba como un animal ante un peligro. Es el instinto, pensó. Dobló para entrar el auto en el garaje. Y ahí estaba él, interrumpiéndole el paso. El muchacho de los tatuajes. Tenía una camiseta sin mangas y sus tatuajes de espadas y víboras parecían brillar en la noche. No lo vio, pero imaginó que debajo de esa remera estaba el Cristo sufriente tatuado en su pecho.

Andrada le hizo luces para que se corriera y lo miró desafiante, pero el muchacho de los tatuajes no lo miró a él sino a Florencia. Andrada pudo percibir también que ella lo miraba, pero no en qué forma lo hacía. En la mirada del muchacho había como un reconocimiento, como si tuvieran algo que decirse o algo pendiente, cualquier cosa que les generaba un vínculo que se manifestaba en los ojos de él al mirarla. El muchacho de los tatuajes se apartó sin registrar a Andrada y volvió a acomodar las cajas, pero en su indiferencia había también algo de rabia. Andrada entró al garaje. Su hija tomo la mochila y él su maletín. Le hubiera gustado que ella se quejara de los cartoneros, que le dijera que la miraban obscenamente. Eso lo hubiera dejado más tranquilo. Subieron al departamento sin decirse nada.

6

La última vez que miró la hora eran las nueve menos diez. Se había encerrado en su escritorio y se había servido un whisky. En diez minutos estarían los policías que venían a interrogarlo por Arizmendi. Todavía no había pensado cómo iba a ocultarles lo de Daiana. O tal vez no era necesario. Al fin y al cabo, no buscaban a un viejo que tenía sexo con una prostituta adolescente, tal vez adicta, tal vez ladrona como Luli. Una adolescente a la que él le iba a dar un futuro, una vida de verdad. No. Ellos querían a los asesinos de Arizmendi, no al que mató a un chico de nombre desconocido, un pequeño ladrón que no habría dudado en matar a Andrada si le hubiera dado la oportunidad. Esos policías que iban a llegar en diez minutos estaban de su lado.

Lo que él tenía que resolver estaba en la calle. No había que esperar si se podía actuar. Se lo había dicho él mismo a Florencia pero no lo recordaba. Terminó el whisky de un trago. Pensó en bajar con el maletín y la idea le resultaba tan ridícula que se rió. Él y su maletín. Parecía un personaje de programa cómico. Lo abrió. Corrió los papeles y encontró la pistola envuelta en ese terciopelo violeta que le daba al arma un aire noble.

La levantó, la sopesó. Se la puso en la cintura del pantalón, del lado de atrás. El contacto del metal contra el cuerpo le erizó la piel. Se puso el saco encima y salió de su escritorio. En el living no había nadie. Florencia estaría en su cuarto. En la cocina se oían ruidos. Su mujer estaba preparando la cena para tres. Tendría que haberse acercado a la cocina, hablar con Elsa, decirle unas palabras para tranquilizarla. Pero no lo hizo, y en esos metros que lo separaban del living al ascensor sintió, por primera y única vez, que no estaba haciendo lo debido con su mujer. Ella se merecía su confianza.

Pero ya estaba en el ascensor y su mente había vuelto a la calle. En el palier se encontró con el portero.

–Atilio, ¿no le dije que no quería a los cartoneros en la puerta?

–Perdone, don Julio, yo ya les dije pero por las buenas no entienden. Voy a hablar con la gente de la seccional para que los saquen. Y ahora mismo voy yo a echarlos.

–No. Voy yo. Usted ocúpese de que no vuelvan.

Salió del edificio sintiendo que Atilio lo acompañaba con la mirada.

En la vereda estaban los cuatro cartoneros de siempre. La mujer y los tres hombres. El muchacho de los tatuajes había ido a la vereda de enfrente y acomodaba unos paquetes de diarios y revistas. Andrada cruzó. El muchacho de los tatuajes estaba agachado y al verlo venir se puso de pie.

–Yo a vos te conozco –le dijo Andrada cuando lo tuvo a un par de metros.

–Yo también te conozco a vos –le contestó el cartonero.

–¿Qué mierda buscás? ¿El Indio no te pagó todavía?

–Epa, papi, ¿qué pasa? ¿Se te subió el viagra a la cabeza?

Papi. Así lo había llamado Luli antes de robarle, antes de que comenzara el final.

–Mirá, flaco, rajate de acá y decile a los tuyos que no me busquen porque los voy a liquidar a todos. No se metan conmigo. Vos no sabés quién soy.

–Sí que sé quién sos. Sos un viejo sorete mal cagado.

Andrada pensó en sacar el arma. Apoyársela en la cabeza y repetirle dos cosas:

Que no se metieran con él.

Que no sabían de lo que él era capaz.

Pero no lo hizo. Se acercó a él y quedó a unos centímetros de distancia. No debía tener más de veinte años detrás de esa barba desaliñada y esa ropa sucia. Andrada era mucho más corpulento que él. A pesar de los músculos trabajados del muchacho, Andrada podría haberle ganado en una pelea a golpes.

–No te quiero ver más. Ni a vos, ni a los otros.

Se dio media vuelta y miró si venía algún auto antes de cruzar. Enfrente estaban los otros cartoneros que seguían con sus actividades sin prestar atención a lo que ocurría del otro lado de la calle. Atento, mirando todo desde la puerta, estaba Atilio. A Andrada le pareció que el portero comenzaba a caminar hacia donde él estaba. No siguió mirándolo porque a sus espaldas sintió la voz del muchacho de los tatuajes.

–Viejo boludo. Todos se cogen a esa pendeja.

Andrada se dio vuelta y desanduvo los metros que los separaban. El muchacho de los tatuajes lo miraba y le sonreía. En esa sonrisa reconoció otra: la de Carla. Como la amiga de su hija, el muchacho de los tatuajes se quedaba observándolo burlonamente, como si ellos –el cartonero, la amiga– fueran dueños de todos los secretos de Andrada. Podía imaginarse a Carla con la misma expresión. ¿Qué sabían ellos de él? Nada, absolutamente nada. Fue menos de un segundo, una ráfaga que pasa a una velocidad inmensurable, un pensamiento que ni siquiera se llega a definir en frases claras y que, sin embargo, se siente como una certeza. No, ese muchacho no era el mismo que se le había cruzado cortándole el paso en la villa. Ellos –el cartonero, la amiga– no sabían nada de él. En cambio, ahora él había descubierto la razón de esos rostros.

Cuando Andrada estaba a menos de un metro, el muchacho de los tatuajes agregó en un tono que intentaba ser confidencial:

–Hasta yo me la cogí.

Había que terminar con eso ya. Andrada sacó la pistola y le disparó al rostro, entre los ojos burlones y la sonrisa irónica. Le dolió el hombro derecho al gatillar. El cuerpo del muchacho de los tatuajes cayó sobre los paquetes de diarios que había puesto en una hilera. Tenía la cara llena de sangre.

Se oyeron algunos gritos, gente que corría alejándose. Sólo Atilio se acercó.

–¿Qué hizo, don Julio?

Andrada se agachó y miró de cerca el cuerpo muerto. No podía dejar el cadáver ahí. Debía llevarlo a otra parte. Subirlo al auto y tirarlo en la villa. ¿Qué vecino iba a denunciarlo? ¿Quién iba a animarse a atestiguar contra él? Había resuelto un problema de todos. Como el desalojo de Martina. Como cuando se preocupaba por el bienestar del edificio, de su familia, de sus empleados.

–Ayúdeme a correrlo de acá.

Atilio tardó en entender lo que pedía.

–Don Julio, usted está loco.

Cruzó corriendo la calle y se metió en el edificio. Andrada se puso de pie. Oyó el ruido de una sirena que se aproximaba. Había dos policías a una cuadra pero no se acercaban. Esperaban la llegada de los refuerzos. Se dio cuenta de que no había nadie alrededor de él. No quedaban ni siquiera los otros cartoneros en la vereda de enfrente. Habían cortado el tránsito por Charcas. Él seguía con la pistola en la mano. No por nada en especial, sólo que no se animaba a tirar el arma por temor a que se disparara sola.

Las sirenas eran ahora muchas. Se acercaban cada vez más. Lo primero que pensó cuando volvió a pensar fue en Julio. No en él, sino en el hijo de su primo. No iba a estar el jueves para atenderlo, para darle la oportunidad de comenzar una vida distinta.

Después sí, todo lo demás. Daiana encerrada en el departamento, el paquetito de paco que guardaba en su escritorio y que era el nexo entre él y aquella noche de lluvia. Pensó en Florencia, en que no iba a poder ayudarla con la mudanza en el fin de semana. Y en Elsa, en el viaje de Elsa y de él a Estados Unidos para ver a Gonzalo. Todo había acabado. Habían llegado los autos de la policía por los dos lados de la calle. Se agachó para dejar suavemente el arma en el piso. Se quedó agachado. Miró al cielo y casi no vio estrellas. ¿Dónde estaban todas las que había visto con Florencia una hora antes? Tendrían que mudarse a un lugar donde hubiera más estrellas en el cielo. Una casa en Lanús, una de esas lindas casas que se hacían construir los que habían hecho plata y no se querían ir del barrio. Ahora era tarde para tomar una decisión así. Andrada acercó su mano al cuerpo del muchacho y recorrió con las yemas de sus dedos los tatuajes. Cerró los ojos y sintió la piel de Daiana, el cuerpo de la chica entregado a sus manos. Andrada acariciaba el cuerpo de Daiana una vez más. ¿Pero se puede acariciar un sueño?

Febrero-abril de 2009

Últimos títulos

El ombligo del dragón
Ximena Sánchez Echenique

Malebolge
Pablo Soler Frost

El ejército iluminado
David Toscana

Expediente del atentado
Álvaro Uribe